CYFRI'N CEWRI

CYFRI'N CEWRI

Hanes Mawrion ein Mathemateg

Gareth Ffowc Roberts

Gwasg Prifysgol Cymru
2020

www.gwasgprifysgolcymru.org

Mae cofnod catalogio'r gyfrol hon ar gael gan y Llyfrgell Brydeinig.

ISBN   978-1-78683-594-9
e-ISBN   978-1-78683-595-6

Cydnabyddir cymorth ariannol Cyngor Llyfrau Cymru ar gyfer cyhoeddi'r llyfr hwn.

Cysodwyd gan Richard Huw Pritchard.

Argraffwyd gan CPI Antony Rowe, Melksham.

Er cof am Llewelyn Gwyn Chambers (1924–2014),
arloeswr hanes mathemategwyr Cymru

Pe gofynnid i nifer o bobl pwy yw enwogion Cymru,
mae'n eithaf sicr mai ateb parod y mwyafrif fyddai
enwau rhai o'r beirdd, llenorion, cantorion ac eraill,
ym myd y celfyddydau ddoe a heddiw. Pe gofynnid
i'r un criw am fathemategwyr o Gymru, go brin y
ceid ateb mor barod ac mor sicr.

Ll. G. Chambers

Mathemategwyr Cymru (Caerdydd, 1994)

I'm hwyrion,
Elis, Gwydion, Mari, Miriam ac Olwen

CYNNWYS

DIOLCHIADAU

Cyfuniad o ddylanwadau yw cynnwys pob llyfr – ffrwyth cydweithio a rhannu syniadau. Bûm yn ffodus i allu elw ar arbenigedd a diddordeb nifer o unigolion a sefydliadau, ar frwdfrydedd athrawon a'u disgyblion, ac ar brofiad darlithwyr a'u myfyrwyr. Manteisiwyd hefyd ar rodd hael gan WALMATO, cymdeithas hynod o arbenigwyr ar addysg mathemateg yng Nghymru.

Rwyf yn ddyledus i'r darllenydd annibynnol dienw am ei sylwadau craff a'r anogaeth i ddal ati. Bu staff Gwasg Prifysgol Cymru yn gefn di-ffael hefyd ac yn barod iawn eu cymorth.

Profiad anodd, weithiau, yw derbyn beirniadaeth gan eich teulu, yn arbennig yr aelodau iau. 'Yr hen a ŵyr a'r ifanc a dybia', yn ôl y ddihareb, ond nid felly y mae hi go iawn a rhaid magu croen caled a dos o wyleidd-dra i dderbyn eu cyngor ac i gyfaddef eu bod yn llygaid eu lle.

Mae'r bai am unrhyw wallau yn y llyfr yn disgyn ar ysgwyddau un person, a'r awdur druan yw hwnnw.

RHAGAIR

Mae'r llyfr hwn yn dathlu bywyd a gwaith rhai mathemategwyr a aned yng Nghymru ac eraill a gyflawnodd eu gwaith yng Nghymru, gan gyfoethogi ein hanes a'n diwylliant. Pan gyfansoddodd Evan James a'i fab, James James, ein hanthem genedlaethol ym Mhontypridd yn 1856 roedd Cymru yng nghanol y chwyldro diwydiannol. Roedd mynd mawr ar ddatblygiadau mewn gwyddoniaeth a thechnoleg, gyda chymdeithasau gwyddonol lleol yn codi fel madarch ar hyd a lled y wlad. Tybed a gollodd Evan James y cyfle i gydnabod hynny wrth iddo lunio geiriau'r anthem?

Erbyn 1859, dair blynedd yn ddiweddarach, roedd Charles Darwin wedi cyhoeddi *On the Origin of Species*, ac ychydig, erbyn heddiw, sy'n cysylltu damcaniaeth esblygiad â'r Cymro Alfred Russel Wallace, a ddatblygodd ei syniadau cyn Darwin. Un o effeithiau'r syniadau newydd hyn oedd creu tensiynau rhwng crefydd a gwyddoniaeth, gan ddylanwadu ar ddehongliad Cymry'r cyfnod o natur eu Cymreictod. Erbyn diwedd y ganrif roedd y dehongliad hwnnw wedi culhau i gynnwys ein barddoniaeth, ein cerddoriaeth, ein crefydd a fawr ddim arall.

Mae pethau wedi newid erbyn hyn, dros ganrif a hanner yn ddiweddarach. Araf fu'r newid hwnnw, er bod y duedd i gyfyngu Cymru i fod yn 'wlad y gân' yn parhau i lechu yn isymwybod y genedl.

Un o nodweddion mwyaf cadarnhaol y newid yw brwdfrydedd nifer cynyddol o ddarlithwyr ifainc, rhai ohonynt mewn swyddi a noddir gan y Coleg Cymraeg Cenedlaethol, a'u gwaith clodwiw wrth iddynt drin a thrafod gwyddoniaeth a mathemateg yn Gymraeg yn eu prifysgolion ac wrth gynnal gweithdai mewn ysgolion. 'O bydded i'r hen iaith barhau', a honno'n iaith sy'n trin a thrafod y gwyddorau a'r celfyddydau fel ei gilydd.

Os yw Llywodraeth Cymru am gyrraedd ei tharged o filiwn o siaradwyr Cymraeg erbyn 2050, rhaid cwmpasu pob rhan o'r diwylliant Cymraeg a Chymreig dan yr un ymbarél. Rhaid hefyd i bawb gyd-dynnu: ein hysgolion a'n colegau, ein llywodraeth ganolog a lleol, ein sefydliadau cenedlaethol a'n cyfryngau torfol. Gall geiriau difeddwl ddadwneud dylanwad blynyddoedd o addysg. Wrth yrru mewn car i gyrraedd yr Eisteddfod Genedlaethol, roeddwn hefyd yn gwrando ar ddarllediad byw Radio Cymru o ddigwyddiadau'r llwyfan. Ar ddiwedd un o'r cystadlaethau canu i blant ysgol roedd un o ohebwyr Radio Cymru yn cael gair bach gyda'r cystadleuwyr yng nghefn y llwyfan, gan ofyn iddynt beth oedd eu diddordebau ar wahân i ganu. 'Wel', atebodd un o'r plant yn eiddgar, 'dwi'n hoffi mathemateg, ffiseg a chwarae gwyddbwyll.' Gwych, yntê? 'Da iawn, chdi, diddorol iawn', oedd ymateb y gohebydd. Ond wrth drosglwyddo'n ôl o'r llwyfan i stiwdio Radio Cymru ar y maes, ychwanegodd y prif ddarlledwr yno, 'Doeddwn i erioed wedi meddwl y byddwn i'n clywed y geiriau "hoffi" a "mathemateg" yn yr un frawddeg.'

Bu ond y dim i mi yrru'r car drwy'r gwrych!

Erbyn heddiw rhaid hefyd ystyried effaith y cyfryngau cymdeithasol. Yn fuan ar ôl cyhoeddi *Mae Pawb yn Cyfrif* yn 2012 dechreuais osod posau bach mathemategol ar Twitter er mwyn gweld beth fyddai'r ymateb. Dan yr hashnod #posydydd, mae'r posau'n cael eu gosod yn Gymraeg a Saesneg yn gynnar y bore o ddydd Llun i ddydd Gwener, gyda phos dydd Gwener ar gyfer plant yn bennaf. Does dim angen gwybodaeth dechnegol i'w datrys – mae'n rhyfedd beth sy'n bosibl ar sail eich cof o fathemateg ysgol gynradd yn unig. Ond mae angen bod yn barod i feddwl 'y tu allan i'r bocs' o dro i dro, ac mae rhyw gymaint o styfnigrwydd ac awydd i gracio'r her yn gymorth. Bellach (a minnau'n ysgrifennu'r geiriau hyn yn 2020) mae dros ddwy fil o bobl yn dilyn y posau, y mwyafrif llethol ohonynt yn gwneud hynny yn Gymraeg (a chaf yr argraff bod cael y fersiwn Saesneg yno hefyd yn gymorth i rai o ran deall ambell derm a allai fod yn anghyfarwydd: gweld mai *'prime number'* yw 'rhif cysefin' yn Gymraeg, er enghraifft).

Ond mae dilynwyr y fersiwn Saesneg hefyd wedi cynnwys rhai annisgwyl iawn: gweinyddwr ym Mhrifysgol Adelaide, Seland Newydd; grŵp o gyfeillion o dde India sy'n cyfieithu rhai o'r posau i iaith Tamil; ac athrawon o Ganada. Beth yw'r atyniad a sut rai yw'r dilynwyr? Gan fod y gynulleidfa'n newid bron yn ddyddiol mae'n anodd bod yn gwbl sicr ond mae ambell batrwm yn glir. Mae nifer o ysgolion cynradd ac uwchradd ymysg y dilynwyr a cheir cip o dro i dro ar y defnydd creadigol a wneir o'r posau mewn ambell ddosbarth ysgol. Ar wahân i ysgolion a rhai sefydliadau eraill mae modd cael rhyw syniad o nifer y dynion unigol a nifer y menywod unigol sydd hefyd yn ddilynwyr. Beth fyddech yn ei ddisgwyl? Tua'r un nifer o ddynion a menywod? Mwy o ddynion? Mwy o fenywod? Pa ddadleuon sy'n dylanwadu ar eich ateb? Oedwch am ychydig i benderfynu ar eich ateb cyn darllen ymlaen.

Wrth imi holi cynulleidfaoedd amrywiol, mae dynion yn tueddu i feddwl mai dynion fyddai'r mwyafrif, a menywod yn tueddu i feddwl mai menywod fyddai'r mwyafrif, a phawb yn barod i gynnig pob math o resymau dros eu dewis: bod dynion yn gynhenid well na menywod mewn mathemateg (sylw nad oes unrhyw sail iddo ac sy'n denu protestiadau chwyrn gan y menywod sy'n bresennol); bod menywod yn fwy tueddol o ddefnyddio'r cyfryngau cymdeithasol beth bynnag (honiad sy'n cael ei gefnogi i ryw raddau gan ymchwil sy'n awgrymu bod tua 52 y cant o drydarwyr yn fenywod a 48 y cant yn ddynion); a bod menywod yn llawer rhy brysur am hanner awr wedi saith y bore yn cael y plant yn barod i'r ysgol i roi sylw i fathemateg (sylw henffasiwn a rhywiaethol iawn). Does dim prinder dadleuon, a gallwn ond dyfalu pa ffactorau cymdeithasegol sy'n dylanwadu fwyaf yn y cefndir.

O dro i dro daw fflach o weledigaeth i daflu ychydig o oleuni ar y mater. Wedi imi annerch cynhadledd o fenywod yn Abertawe, daeth dynes ganol oed ataf i gyflwyno'i hun ac i ddweud ei bod yn dilyn #posydydd. Erbyn ei holi, cefais wybod ei bod yn rhedeg busnes bach yn y ddinas a'i bod yn hoffi cael rhywbeth i'w deffro'n gynnar yn y bore – rhyw fath o chwistrelliad o gaffin i gychwyn troi olwyn yr ymennydd. Doedd hi byth yn ateb y pos ar Twitter – llawer gwell ganddi oedd cadw ei hateb yn rhywbeth personol. Roedd hi'n hoffi preifatrwydd y pos, y ffaith nad oedd neb yn edrych dros ei hysgwydd, neb yn rhoi pwysau arni i gael ateb, neb yn dweud, 'Dere 'mlaen, brysia! Be' sy'n bod arnat ti?' Cefais fy sobri gan ei sylw, 'Mae'r profiad yn hollol wahanol i ysgol.'

A oes unrhyw wersi yn yr hanesyn – i athrawon ysgol, i rieni, neu i neiniau a theidiau? Gwell imi ddatgelu erbyn hyn fod mwy o fenywod yn dilyn #posydydd na dynion. Dydy'r gwahaniaeth ddim yn anferth – tua 55 y cant o'r dilynwyr sy'n fenywod a 45 y cant sy'n ddynion – ond mae'n arwyddocaol.

Beth oedd fy llinyn mesur dros ddewis y mathemategwyr sy'n cael sylw yn y llyfr hwn? Ac a fyddai pob un ohonynt yn disgrifio'u hunain fel mathemategwyr beth bynnag? Mae labeli fel 'mathemategydd' neu 'wyddonydd' yn rhai cymharol fodern sydd wedi datblygu wrth i ysgolheigion arbenigo fwyfwy. Geiriau o ganol y 19eg ganrif yw 'gwyddonydd' a '*scientist*' a phrin y byddai gwyddonwyr y cyfnod hwnnw'n defnyddio'r gair i ddisgrifio'u gwaith. Ni welwyd y gair 'mathemategydd' yn y Gymraeg tan yr 20fed ganrif, ac er i'r term '*mathematician*' weld golau dydd yn y Saesneg yn y 15fed ganrif, roedd yn gryn amser cyn i'r gair gael ei ddefnyddio'n eang.

Astudio mathemateg er ei mwyn ei hun oedd prif nod rhai o'r unigolion sy'n cael eu cynnwys yn y llyfr hwn (rhai fel Bertrand Russell, Mary Wynne Warner a John Rigby), a byddent wedi disgrifio'u hunain fel 'mathemategwyr pur'. Rhoddodd eraill (fel George Hartley Bryan a Donald Davies) fwy o bwyslais ar ddefnyddio mathemateg at bwrpasau ymarferol, a byddent yn fwy tebygol o ddisgrifio'u hunain fel 'mathemategwyr cymhwysol'. Mae eraill wedyn, Richard Price yn arbennig, na fyddent yn gwahaniaethu rhwng y ddau fath o fathemateg: defnyddio mathemateg er lles eu cyd-ddynion oedd eu hunig nod.

Mae math arall hefyd o fathemategydd – un na fyddai'n disgrifio'u hun fel mathemategydd o gwbl, ond fel gwyddonydd sy'n defnyddio mathemateg fel rhan hanfodol o'i (g)waith. I ryw raddau, mae pob gwyddonydd yn gorfod defnyddio mathemateg fel arf pob dydd i ddadansoddi canlyniadau arbrofion. Mae hynny'n wir, ond mae ystyr dyfnach hefyd i'r defnydd o fathemateg mewn gwyddoniaeth sy'n amlycach yng ngwaith rhai gwyddonwyr nag eraill. Un o'r rheiny oedd Evan James Williams a arbenigai mewn ffiseg yr atom. Roedd Williams yn ffisegydd damcaniaethol yn ogystal â bod yn ffisegydd a oedd yn gwneud arbrofion. Ar y naill law roedd yn ymdrin â symbolau haniaethol y fathemateg ac ar y llaw arall yn mesur pethau go iawn mewn arbrawf. Ei gamp oedd ceisio gweld i ba raddau roedd ei fathemateg yn gallu rhagweld canlyniadau ei arbrofion.

Mae'r ffin rhwng gwyddoniaeth a mathemateg yn denau. Byddai wedi bod yn bosibl i gynnwys enwau eraill yn y rhestr, rhai fel David Edward Hughes (1831–1900), dyfeisydd y microffon, neu Syr William Henry Preece (1834–1913), arloeswr yn natblygiad y teleffon. Rhaid oedd penderfynu ymhle i dynnu'r llinell, a gwnaed hynny wrth gynnwys Evan James Williams fel enghraifft o un oedd yn pontio mathemateg a gwyddoniaeth.

Mae'r deuddeg o fathemategwyr sy'n cael eu cynnwys yn y gyfrol hon yn adlewyrchu dewis personol yr awdur. Buont i gyd yn gewri yn eu meysydd, ond nid wyf yn honni mai'r deuddeg hyn, o angenrheidrwydd, yw'r disgleiriaf yn hanes mathemateg yng Nghymru: pawb â'i farn am hynny. Yn hytrach, mae'r dewis yn agor cil y drws ar gyfraniad mathemateg i'n diwylliant trwy fywyd a gwaith rhai o'r mawrion.

Mae mathemateg ei hun yn cynnwys nifer eang o ganghennau. Bydd rhai darllenwyr wedi astudio tair cangen ohoni yn yr ysgol – rhifyddeg, algebra a geometreg – ac efallai hefyd yn cofio cyfeiriadau at feysydd fel trigonometreg (sef defnyddio algebra i astudio geometreg trionglau), tebygolrwydd ac ystadegaeth. Cyfeirir at y meysydd hyn ac eraill yn y llyfr, ond gan mai llyfr am fathemategwyr yw hwn yn hytrach nag am fanylion eu mathemateg, nid oes angen meistroli'r manylion technegol.

Mae'r penodau mewn trefn gronolegol, gyda'r bennod gyntaf ar Robert Recorde, y mathemategydd Tuduraidd o Ddinbych-y-pysgod, yn gosod sail ar gyfer y gweddill. Recorde a gyflwynodd yr arwydd hafal '=' yn y flwyddyn 1557, a'r arwydd hwnnw sy'n arwain at y syniad o hafaliadau mewn mathemateg, syniad sydd yn cael ei gyflwyno i blant yn gynnar iawn wrth iddynt ysgrifennu pethau fel hyn:

$$2 + 3 = 5$$

Mae pob pennod wedi hynny yn gysylltiedig â hafaliad arbennig, a'r syniad o hafaliad yn ddolen gyswllt o bennod i bennod.

Mae cyswllt hefyd rhwng pob pennod ac ardal arbennig o Gymru, yn bentref neu dref neu ddinas sy'n gysylltiedig â mathemategydd y bennod, a'r lleoliadau hynny wedi eu dosbarthu ar draws Cymru gyfan.

Nodwedd gyffredin arall yw bod pob pennod yn cynnwys pos. Bydd eich taith o amgylch Cymru o bennod i bennod yn cynnwys cyfle i geisio datrys y posau. Mae nodiadau am y posau ynghyd â'r atebion iddynt yng nghefn y llyfr. Ceir yno hefyd nodiadau ar bob pennod.

Map o Gymru yn dangos lleoliad y pentrefi, y trefi a'r dinasoedd a gysylltir â mathemategwyr y llyfr

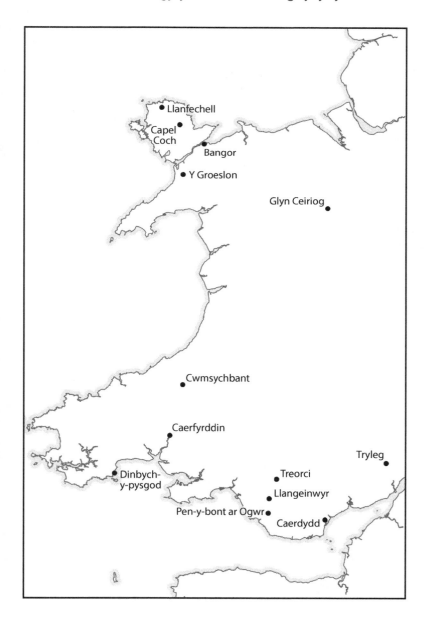

RWYF YN MEDDWL AM RIF

Robert Recorde
1512?–1558

Seiliwyd y cerflun, sy'n dyddio o 1910, ar lun o Recorde sydd bellach ym Mhrifysgol Caergrawnt. Profwyd erbyn hyn fod y llun gan artist o'r Iseldiroedd yn yr 17eg ganrif. Nid Recorde yw hwn, felly, ond y ddelwedd hon sy'n parhau'n sail i luniau cyfoes ohono.

Cerflun o Robert Recorde yn Eglwys y Santes Fair, Dinbych-y-pysgod.

14.℈. ⊦ .15.℔ ══ 71.℔.

Yr hafaliad cyntaf erioed i gynnwys yr arwydd hafal (*The Whetstone of Witte* (1557))

Un noson yn Ninbych-y-pysgod
Ymwelais â'r eglwys, a chanfod
    Dwy linell gyfochrog:
    Y symbol byd-enwog
O waith y dihafal Bob Cofnod.
                        Dienw

Rhowch gynnig ar y tri phos hyn:

> Rwyf yn meddwl am rif. Dwbl y rhif yw 8. Beth yw'r rhif?
>
> Rwyf yn meddwl am rif arall. Wrth adio 5 ato caf yr ateb 12. Beth yw'r rhif?
>
> Rwyf yn meddwl am drydydd rhif. Wrth adio 5 at ddwbl y rhif caf yr ateb 27. Beth yw'r rhif y tro hwn?

Gawsoch chi hwyl arni? Sut aethoch chi ati i gael eich atebion? Mae rhai yn ei chael hi'n haws wrth feddwl am y rhif coll mewn bocs, neu'n cael ei guddio gan gwmwl, ac yn 'gweld' y pos cyntaf 'yn eu pennau', rywbeth yn debyg i hyn:

> dwbl ☐ yw 8. Pa rif sydd yn y bocs?

neu

> dwbl ⬭ yw 8.

> Pa rif sy'n cael ei guddio gan y cwmwl?

A ydy hynny o gymorth?

Byddai'r trydydd pos yn gallu edrych yn debyg i hyn:

> dwbl ⬭ adio 5 yw 27.

> Pa rif sy'n cael ei guddio gan y cwmwl y tro hwn?

Cam pellach, sy'n dipyn o naid, yw defnyddio *symbol* i gynrychioli'r rhif coll. Yn draddodiadol, y symbol sy'n cael ei ddefnyddio amlaf yw'r llythyren x ac mae'r posau yn gallu ymddangos fel hyn:

Rwyf yn meddwl am rif, x. Dwbl x yw 8. Beth yw x?

Rwyf yn meddwl am rif arall, x. Wrth adio 5 at x caf yr ateb 12. Beth yw x?

Rwyf yn meddwl am drydydd rhif, x. Wrth adio 5 at ddwbl x caf yr ateb 27. Beth yw x y tro hwn?

Sylwch fy mod wedi defnyddio x ymhob pos. Dydy'r dewis o symbol ddim yn bwysig, boed yn focs neu gwmwl neu x neu y neu'n llun o gath neu o eliffant, neu beth bynnag sy'n dod i'ch pen. Llythrennau'r wyddor yw'r dewis arferol ac mae x ac y ymysg y mwyaf poblogaidd, er nad oes unrhyw beth arbennig o gwbl ynghylch x ac y. Ond wrth feddwl am eich profiadau o ddyddiau ysgol, ac o wersi algebra yn arbennig, mae'n bosibl mai'r symbolau x ac y sy'n dod i flaen y cof. Mae hefyd yn bosibl eich bod yn cofio'r teimlad o fod ar goll yn sydyn a'r llenni'n disgyn wrth ichi wynebu pethau fel hyn:

$$2x = 8. \text{ Beth yw } x?$$

$$x + 5 = 12. \text{ Beth yw } x?$$

$$2x + 5 = 27. \text{ Beth yw } x?$$

Mae'r newid o drin rhifau i drin symbolau yn un anferth ac yn ormod o naid i lawer oni bai fod plant ysgol (ac oedolion) yn cael eu cyflwyno i'r defnydd o symbolau yn ofalus, fesul cam.

Fedrwch chi uniaethu â'r teimlad sy'n cael ei fynegi yn y neges Saesneg hon?

> *Dear Algebra*
>
> *Please stop asking us to find your x.*
>
> *She's never coming back, and don't ask y.*

Ond does dim i'w ofni. Ystyriwch yr *x* fel y rhif yn y bocs neu'r rhif sy'n cuddio y tu ôl i'r cwmwl a'r gamp yw darganfod pa rif sydd yno. Hynny, yn syml, yw natur pob hafaliad.

Nid peth diweddar yw algebra. Datblygwyd rhai o'r syniadau cynharaf dair mil a mwy o flynyddoedd yn ôl gan y Babiloniaid ac wedyn gan y Groegwyr. Daw'r gair modern algebra o'r Arabeg *al-jabr*, un o'r technegau a ddefnyddiwyd gan y mathemategydd Arabaidd al-Khwārizmī tua 800 OC. Yn enedigol o'r rhan honno o'r Dwyrain Canol sydd heddiw yn Uzbekistan roedd al-Khwārizmī yn seryddwr ac yn ddaearyddwr yn ogystal â bod yn fathemategydd. Gweithiodd ac astudiodd mewn canolfan ddysg bwysig a dylanwadol yn Baghdad. Bu newid byd ers hynny.

Roedd Robert Recorde yn rhan o gynnwrf y Dadeni yn Ewrop wrth ailddarganfod ffrwyth yr oes glasurol a'r datblygiadau yn y Dwyrain Canol, gan gynnwys gwaith al-Khwārizmī. Un o gampau Recorde oedd ei gyfraniad at ddatblygiad algebra mewn ffordd arbennig iawn.

Ganed Robert Recorde yn Ninbych-y-pysgod yn y flwyddyn 1512, yn ôl pob tebyg. Yn y dref honno, yn hogyn bach, y taniwyd ei ddiddordeb mewn rhifau a mathemateg yn gyffredinol. Wedi iddo dyfu a graddio mewn mathemateg yn Rhydychen ac yna mewn meddygaeth yng Nghaergrawnt, cyflogwyd Recorde gan y

Goron i fod yn gyfrifol am oruchwylio gwaith y bathdai brenhinol ym Mryste, Dulyn a Llundain ac am y mwynfeydd arian yn yr Iwerddon. Roedd yn atebol i Iarll Penfro, aelod o'r Cyfrin Gyngor. Roedd Recorde yn ŵr gonest a chyfrifol, ond nid oedd ganddo fawr o sgiliau gwleidyddol mewn cyfnod o dwyll ac ystryw. Cyhuddodd ei feistr, Penfro, o dwyllo'r Goron wrth gyfeirio peth o elw'r bathdai i'w boced ei hun. Ymateb Penfro oedd cyhuddo Recorde o'i enllibio, a llusgwyd Recorde o flaen ei well i ateb ei gyhuddwr. Collodd Recorde yr achos – roedd grym gwleidyddol Penfro yn drech nag ef – a gosodwyd dirwy arno o fil o bunnoedd. Doedd dim modd yn y byd i Recorde dalu'r fath swm ac fe'i dedfrydwyd i garchar dyledwyr yn Llundain. O fewn rhai misoedd roedd wedi dal haint yn y carchar a bu farw yno yn y flwyddyn 1558. Rai blynyddoedd yn ddiweddarach, dan deyrnasiad y Frenhines Elisabeth, ailagorwyd yr achos a chafwyd mai Recorde oedd wedi dweud y gwir. Roedd yn rhy hwyr erbyn hynny, wrth gwrs, ond rhoddwyd tiroedd yn Ninbych-y-pysgod i deulu Recorde fel iawndal.

> Un noson yn Ninbych-y-pysgod
> Rhwng Recorde a'r Iarll bu anghydfod.
> Er cyfiawn ei lais
> Fe'i cosbwyd drwy drais,
> Nid 'hafal' oedd pawb yn y cyfnod.
>
> Peter Griffiths

Cyfraniad pwysicaf Recorde oedd cyfoeth y llyfrau mathemateg a gyhoeddodd. Roedd wedi meddwl yn ddwfn ynghylch sut orau i gyflwyno syniadau mathemategol i blant ac oedolion, yn arbennig i rai nad oeddynt wedi derbyn addysg ffurfiol mewn Lladin a Groeg. Ef oedd y cyntaf i ysgrifennu llyfrau am fathemateg yn Saesneg, er mwyn sicrhau eu bod yn ddealladwy i drwch poblogaeth Prydain, rhai y cyfeiriodd Recorde atynt fel 'the vnlearned sorte'. Gosododd safon na wellwyd arno am dair canrif. Ef, mewn gwirionedd, oedd athro mathemateg cyntaf yr ynysoedd hyn.

Mae Recorde yn enwog yn bennaf gan mai ef a ddyfeisiodd yr arwydd hafal, '=', arwydd sydd mor gyfarwydd i ni heddiw, a'r arwydd sy'n sail i bob hafaliad sydd yn y llyfr hwn. Mae'r arwydd yn cael ei gymryd yn ganiataol erbyn hyn ond roedd ei gyflwyno gan Recorde yn naid enfawr wrth i fathemateg ddatblygu.

Mae'r hafaliad cyntaf a ysgrifennodd Robert Recorde yn ei lyfr ar algebra, *The Whetstone of Witte*, yn edrych yn beth od ar y naw i ni, ychydig dros bedwar cant a hanner o flynyddoedd wedyn. Yr hafaliad hwn yw'r un cyntaf i ymddangos mewn print gan ddefnyddio'r arwydd hafal a ddyfeisiwyd gan Recorde. Peidiwch â dychryn, ond dyma fo:

$$14.\mathcal{Z}e \cdot \underline{\quad+\quad} .15.\mathcal{9} === 71.\mathcal{9}.$$

Yr hafaliad cyntaf, o lyfr Robert Recorde,
The Whetstone of Witte (1557).

Mae'n werth oedi i bendroni dros yr hafaliad hwn gan ei fod yn cynrychioli ymdrechion mathemategwyr cyfnod y Dadeni i gyfuno symbolau amrywiol er mwyn symleiddio'u gwaith. Mae'r hafaliad yn mynegi rhywbeth sy'n gyfarwydd iawn i ddisgyblion ysgol yr oes bresennol. Dyma fyddai ffurf yr hafaliad heddiw:

$$14x + 15 = 71$$

Y sialens yw dyfalu gwerth y symbol 'x'. Meddyliwch am yr hafaliad fel pos: rwyf yn meddwl am rif, yn lluosi'r rhif hwnnw gydag 14, yn adio 15 at hynny ac yn cael yr ateb 71. Beth oedd fy rhif cyntaf? Buan iawn y cewch chi mai 4 ydy'r rhif sy'n ateb y gofyn. A defnyddio'r jargon modern, gwerth y rhif x sy'n bodloni'r hafaliad $14x + 15 = 71$ yw 4.

Ond beth am y symbolau eraill sydd yn hafaliad gwreiddiol Recorde? Mae rhai yn gyfarwydd, ac eraill yn ddieithr iawn. Y symbolau hynaf yn yr hafaliad, y rhai sy'n gyfarwydd iawn i ni, yw'r rhai sy'n cynrychioli rhifau, sef 14, 15 a 71. Y symbolau hyn yw'r rhifau Hindŵ-Arabaidd sy'n dyddio'n ôl i tua 600 oc. O'r India, teithiodd y rhifau hyn drwy wledydd y Dwyrain Canol, ar hyd gogledd Affrica, draw i Sbaen ac ymlaen i weddill Ewrop, gan gyrraedd Prydain erbyn tua diwedd y 15fed ganrif – taith hir ac araf. Cyn hynny, y rhifau Rhufeinig cymhleth, rhai fel *clviii* (am 158) a *mmdcxxix* (am 2,629), oedd yn cael eu defnyddio. Yn ei gyfrol ar rifyddeg, *The Ground of Artes*, a gyhoeddodd yn 1543, mae Recorde yn cychwyn drwy gyflwyno'r rhifau 'newydd' i'w ddarllenwyr gan ddweud:

And fyrste marke that there are but .*x*. figures, that are vsed in arithmetike, and of those .*x*. one doth sygnifie nothing, which is made lyke an o...The other .*ix*. are called sygnifienge figures, & be thus figured:

1 2 3 4 5 6 7 8 9

And this is theyr valewe.

i. *ii.* *iii.* *iiii.* *v.* *vi.* *vii.* *viii.* *ix.*

O'i drosi i Gymraeg heddiw:

Sylwch i gychwyn mai dim ond deg symbol sy'n cael eu defnyddio mewn rhifyddeg. O'r deg hynny, mae un ohonynt yn cynrychioli dim, ac yn cael ei lunio fel 0...Cyfeirir at y naw arall fel ffigurau arwyddocaol ac maent yn edrych fel hyn:

1 2 3 4 5 6 7 8 9

A dyma'u gwerth.

i. *ii.* *iii.* *iiii.* *v.* *vi.* *vii.* *viii.* *ix.*

Hynny yw, roedd angen i Recorde gyflwyno'r rhifau 'newydd' i'w ddarllenwyr, gan eu hegluro wrth gyfeirio at y rhifau Rhufeinig 'cyfarwydd'.

Mae symbol arall yn yr hafaliad sy'n gyfarwydd iawn i ni heddiw, sef yr arwydd '+' i gynrychioli adio. Mae siâp y symbol yn yr hafaliad fymryn yn wahanol i'r '+' modern, ond mae'n gwbl ddealladwy serch hynny. O'r Almaen a'r Eidal y daeth y symbol hwn, rywbryd yn ystod blynyddoedd olaf y 15fed ganrif. Cyn hynny defnyddiwyd geiriau i gyfleu'r syniad o adio, yn arbennig y gair Lladin *et* sy'n cyfateb i'r Gymraeg 'a' neu 'ac' ac i'r Saesneg '*and*', ac mae'n bosibl y datblygodd y symbol '+' fel talfyriad o *et*, wrth ganolbwyntio ar groesi'r 't'. Cyflwynwyd yr arwydd hwn i Brydain, ynghyd â'r arwydd '−' am dynnu, gan Robert Recorde, yn 1557, yn ei lyfr ar algebra: 'There be other. 2. signes in often vse, of whiche the firste is made thus + and betokeneth more: the other is thus made − and betokeneth lesse.'

Ond beth am y symbolau 𝄞 a 𝆹 sy'n gwbl ddieithr i'n llygaid modern ni? Roedd Recorde yn gyfarwydd â gwaith mathemategwyr Ewrop, yn arbennig y rhai a oedd yn defnyddio'r iaith Ladin i gyflwyno eu syniadau, iaith a oedd yn rhyw fath o *lingua franca* ar draws Ewrop. Roedd wedi cael blas arbennig ar lyfrau y mathemategydd o'r Almaen Johannes Scheubel (1494–1570) ac wedi defnyddio rhai o syniadau Scheubel wrth ysgrifennu ei lyfr ei hun ar algebra. Mae un o lyfrau Scheubel ymysg trysorau Llyfrgell Genedlaethol Cymru yn Aberystwyth, a pherchennog gwreiddiol y llyfr hwnnw wedi ysgrifennu ambell nodyn mewn Lladin ar ymyl y ddalen wrth iddo bori drwy'r llyfr. Mae Ulrich Reich, mathemategydd o'r Almaen sydd wedi astudio dylanwad gwaith Scheubel ar Recorde, wedi awgrymu mai Recorde ei hun oedd y perchennog a bod yr ychydig eiriau hyn yn enghraifft brin o'i lawysgrifen.

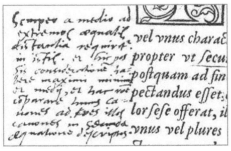

Nodyn o ymyl tudalen yn llyfr Scheubel.
Trwy ganiatâd Llyfrgell Genedlaethol Cymru (b51 P(3)7).

Yn y nodyn hwn, mae'r darllenydd yn meddwl yn uchel wrth dreiddio i arwyddocâd y testun o'i flaen ac mae'r gair cyntaf, *Semper* ('bob tro'), yn dangos y meddwl mathemategol ar waith wrth iddo geisio mynd at wraidd y mater.

Beth am y symbolau eu hunain? Pwrpas y symbol $\mathcal{q}$ yw dynodi mai rhif cyffredin yw'r rhif o'i flaen ac mae'r symbol $\mathcal{z}\!e$ yn cynrychioli rhif anhysbys, yr '*x*'.

Mae'r ddau symbol yn rhan o gasgliad o symbolau a ddyfeisiwyd gan fathemategwyr yr Almaen wrth iddynt geisio mynegi syniadau mewn algebra. *Cossick* yw'r term amdanynt – y term hwn yn tarddu o'r Lladin *coss* sy'n golygu 'peth neu rywbeth'. Dim ond yn raddol iawn y symleiddiwyd y cyfan i'r hyn sy'n gyfarwydd i ni heddiw.

Y symbol sy'n cwblhau'r hafaliad ydy arwydd hafal Recorde ei hun, wrth gwrs. Fel hyn y mae Recorde yn egluro sut yr aeth ati i'w ddyfeisio:

And to a=
uoide the tedioufe repetition of thefe woozdes : is e=
qualle to : J will fette as J doe often in woozke vfe, a
paire of paralleles, oz Ǥemowe lines of one lengthe,
thus : ═══════ bicaufe noe. 2. thynges, can be moare
equalle.

Esboniad Recorde o'r arwydd hafal.

Yn Gymraeg: 'Er mwyn osgoi gorfod ailadrodd y geiriau "yn hafal i" bob tro, byddaf yn defnyddio arwydd sydd wedi bod yn gymorth i mi yn fy ngwaith, sef dwy linell baralel o'r un hyd (llinellau *Gemowe*) fel hyn = oherwydd ni all ddau beth fod yn fwy hafal na hynny.' (Ystyr 'Gemowe lines' yn y dyfyniad hwn yw llinellau sydd, fel efeilliaid, yn hollol yr un fath. Daw 'Gemowe' o'r un tarddiad â 'Gemini', arwydd seryddol yr Efeilliaid.)

Proses araf yw symleiddio, gweld beth yw hanfodion rhywbeth a'i fynegi'n glir ac yn gryno. Yn y creu gwreiddiol, y duedd yw gorgymhlethu, ceisio plesio pawb a'r cyfan yn un gybolfa fawr. Rhaid wrth weledigaeth a hyder i fod yn syml. Athrawon a darlithwyr dibrofiad sy'n tueddu i gymhlethu pethau gyda manylion diangen. Dim ond rhai sy'n feistri ar eu pynciau sy'n gweld beth yw'r hanfodion sylfaenol ac yn gallu cyflwyno'r hanfodion hynny'n glir ac yn gryno. Dyna oedd camp Recorde wrth ddyfeisio'r arwydd hafal, ond roedd yn gryn amser eto cyn y symleiddiwyd y ffordd o drin symbolau ymhellach a chreu'r dulliau modern cyfarwydd. Peth felly yw cynnydd.

Yn y llyfr hwn cysylltir pob pennod â hafaliad arbennig. Does dim angen deall manylion yr hafaliadau i werthfawrogi cymaint y mae hafaliadau yn ganolog i fathemateg ac i'r ffordd y mae mathemateg yn cael ei defnyddio i daflu goleuni ar ein byd a'n bywyd.

Pos pedoli

Dyma un o'r posau enwocaf a osodwyd gan Robert Recorde yn *The Ground of Artes*:

Yf I solde vnto you a horse hauyng 4 shoes, and in euery shoe 6 nayles, with this condition; that you shall pay for the fyrste nayle 1 ob for the second 2 ob. for the thyrde 4, and so forth, doblyng vnto the ende of all the nayles. Nowe I aske you howe moche wolde the hole pryce of the horse come vnto.

Dyma fersiwn symlach o'r pos yn Gymraeg, gan ddefnyddio arian degol:

Mae pedair pedol ar geffyl, pedair hoelen ymhob pedol. Rydych yn talu ceiniog am yr hoelen gyntaf, dwy geiniog am yr ail, pedair ceiniog am y drydedd, ac felly ymlaen, yn dyblu'r pris bob tro. Faint yw pris y ceffyl wrth ei brynu fel hyn?

2O FÔN AR DRAWS Y FENAI

Llanfihangel Tre'r-beirdd a Llanfechell, Ynys Môn

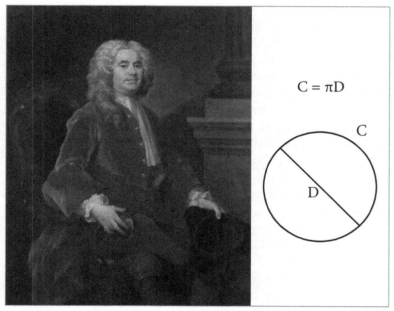

$$C = \pi D$$

William Jones 1674–1749.
Trwy ganiatâd yr Oriel Bortreadau Genedlaethol.

Dychmygwch eich bod yn cael eich penodi i ofalu am ysgol yn yr Almaen tua diwedd y 18fed ganrif. Heb fawr o hyfforddiant fel athro rhaid bwrw ati i gael trefn ar y rhesi o blant o'ch blaen. Mae'r sialens yn anodd ar adegau, y plant yn ddi-drefn a natur digon gwyllt yn rhai ohonynt. Rydych yn gwneud eich gorau i'w drilio yn yr hanfodion: adrodd yr wyddor, dechrau darllen, copïo o'r bwrdd du, llafarganu eu tablau. Ond sut ydych chi i fod i wybod fod Heinrich yn ddarllenwr da, Jacob yn cael mwy o drafferth â'i lythrennau, Helmut prin yn adnabod ei rifau o gwbl, a Carl wedi hen syrffedu ar y symiau diddiwedd? Rydych hefyd yn cael eich blino gan y gofynion i gadw trefn ar eich gwaith papur – cwblhau lòg yr ysgol yn ddyddiol, cofnodi presenoldeb, hel arian ac yn y blaen, ac yn y blaen. O dro i dro rydych yn rhoi tasgau ailadroddus a diflas i'r plant er mwyn cael ychydig o lonydd i fwrw ymlaen â'r gwaith papur hwnnw.

Un bore rydych yn cael fflach o weledigaeth. Beth am osod tasg i'r plant adio'r rhifau i gyd o 1 hyd at 100 – 1 adio 2 adio 3 ac ymlaen yr holl ffordd at 100? Bydd hynny'n siŵr o gadw pawb yn ddistaw tan amser cinio, o leiaf. Does gennych chi ddim syniad beth yw'r ateb i'r cwestiwn ond bydd neb callach. Ond beth sy'n bod ar Carl, y plentyn 8 mlwydd oed sydd eisoes wedi bod yn dipyn o boen? Mae wedi codi'i law dim ond ychydig eiliadau ar ôl ichi osod y dasg ac mae'n honni bod ganddo'r ateb yn barod. Does bosib! 'Wel, Carl', meddech yn amheus, 'beth ydy dy ateb a sut gest ti o?' Mae Carl yn dangos ei lechen, ac yno y mae'r rhif 5050 wedi'i nodi'n dwt. Ond sut cafodd Carl yr ateb hwnnw? Rydych yn ansicr hefyd ai hwnnw ydy'r ateb cywir, beth bynnag. (Beth amdani? Ydy Carl yn gywir? Ceir eglurhad pellach yn y nodiadau yng nghefn y llyfr.)

Carl Friedrich Gauss (1777–1855) oedd y plentyn arbennig hwnnw. Mae enw ei athro ysgol yn nhref Braunschweig yng nghanol yr Almaen wedi mynd yn angof. Ond nid felly enw Gauss a dyfodd i fod yn athrylith yn ei faes a llawer yn dadlau mai ef fu'r mathemategydd gorau erioed.

Mae'n debyg i athro Carl fod yn ddigon hirben i sylweddoli bod gan yr hogyn ifanc hwn ddawn arbennig gyda rhifau. Roedd Carl yn fab i rieni tlawd ac anllythrennog ond daeth enw a champ Carl i sylw Charles William Ferdinand, Dug Braunschweig – sgweier yr ardal – a threfnodd Ferdinand i'r llanc fynd i'r coleg lleol yn bymtheg oed ac ymlaen wedyn i Brifysgol Göttingen, un o ganolfannau dysg pwysicaf Ewrop yn y cyfnod. Roedd Gauss yn ffodus iddo dderbyn cymorth yn gynnar yn ei yrfa. Heb yr hwb gan ei athro cyntaf a chefnogaeth y sgweier lleol, a fyddai wedi llwyddo i ddatblygu ei ddoniau?

Mae hanes cynnar Gauss yn debyg iawn i hanes cynnar William Jones (1674–1749), a aned yn nhyddyn Y Merddyn, Capel Coch, ym mhlwyf Llanfihangel Tre'r-beirdd ger Llangefni yn Ynys Môn. Wedi i'r teulu symud ychydig i'r gogledd, i ardal yn agos i bentref Llanfechell, roedd cyfle i William gerdded rhyw dair milltir bob bore i gyrraedd ysgol yn y pentref hwnnw.

Y 'sgweier lleol' yn achos William Jones oedd Arglwydd Bulkeley, perchennog tiroedd helaeth yn ardal Llanfechell ac ar draws Ynys Môn. Wrth ymweld ag ysgol Llanfechell un bore, sylwodd Bulkeley ar dalent arbennig William, a'r digwyddiad syml hwnnw a newidiodd gwrs bywyd yr hogyn ifanc. Roedd dibyniaeth Jones ar y gefnogaeth a gafodd gan Bulkeley yn debyg iawn i'r gefnogaeth a gafodd Carl Gauss ond, yn wahanol i Gauss, ni chafodd Jones fanteision addysg prifysgol. Yn hytrach, coleg bywyd oedd ei goleg ef gan ddibynnu ar ei allu i greu gwead o gysylltiadau, y gwead hwnnw yn ei gynnal wrth iddo ddringo i uchelfannau byd mathemateg y cyfnod. Yn y man fe'i hetholwyd yn FRS (*Fellow of the Royal Society* – Cymrawd y Gymdeithas Frenhinol) a'i benodi'n is-lywydd y gymdeithas honno. Roedd yn lwcus yn ei noddwr cyntaf, yr Arglwydd Bulkeley, ac yn lwcus wedi hynny yn y noddwyr a'i cynorthwyodd ar hyd ei yrfa i'w alluogi i ganolbwyntio ar ei waith mewn mathemateg.

Un o gampau arbennig William Jones oedd cyflwyno'r symbol π i fyd mathemateg, symbol sy'n gyfarwydd iawn i blant ysgol heddiw. Mae hanes y symbol hwnnw a'r rhif a gynrychiolir ganddo yn un o ryfeddodau mathemateg, ac mae'n anodd datgysylltu hanes Jones o hanes ei symbol, fel y gwelwn yn y bennod nesaf. Ond ffocws y bennod hon ydy hanes William Jones, y person, a'i noddwyr.

Nid i goleg yr anfonwyd William Jones gan Arglwydd Bulkeley ond i Lundain i weithio i fasnachwr cefnog, un a fu'n gymorth iddo yn gynnar yn ei yrfa. Cyflogwyd William yn ddyn ifanc iawn fel cyfrifydd i'r masnachwr, ei ddealltwriaeth o rifau eisoes yn gadarn. Fe'i hanfonwyd ar fordaith fasnachol i India'r Gorllewin i hybu busnes ei gyflogwr. Er iddo fod yn gyfarwydd â thlodi a chaledwch bywyd ei ardal enedigol ym Môn, cafodd ei arswydo gan amgylchiadau difrifol bywyd y caethweision yn y planhigfeydd siwgr.

Rhoddodd y profiad cyntaf hwn flas i Jones ar fywyd ar y môr, a chafodd ei swyno gan holl dechnoleg mordwyaeth: dehongli map, defnyddio cwmpawd a darllen y sêr. O ganlyniad, penderfynodd ymuno â'r Llynges Frenhinol fel athro mathemateg, gan weithio ar longau rhyfel yn rhoi gwersi i'r criw ar sut i ddefnyddio mathemateg a seryddiaeth i deithio ar y môr.

Ar un o'r teithiau hynny roedd ei long yn rhan o lynges Brydeinig a ddinistriodd lynges o Sbaen yn rhyfel Bae Vigo yng ngogledd-orllewin Sbaen yn 1702. Ymunodd Jones â chriw ei long wrth iddynt ymosod ar dref Vigo. Yn wahanol iawn i weddill y criw, yr unig ysbail o ddiddordeb i Jones oedd llyfrau, ac anelodd yn syth at siop llyfrwerthwr yn y dref. Cafodd ei siomi gan nad oedd dim o werth yn y siop, ond dywedir iddo ddod oddi yno â siswrn arbennig, ac iddo ymhyfrydu am flynyddoedd lawer wrth ddangos y siswrn i'w gyfeillion fel prawf o'i lwyddiant milwrol.

Ar sail ei brofiad ar y môr cyhoeddodd Jones ei lyfr cyntaf yn 1702, ac yntau ond yn 28 oed. Testun y llyfr hwnnw, *New Compendium of the Whole Art of Practical Navigation*, oedd mathemateg mordwyo, yn ganllaw ymarferol ar gyfer croesi'r moroedd. Rhoddwyd y llysenw 'Longitude Jones' ar William Jones yn sgil y llyfr.

Erbyn hynny roedd Jones wedi dychwelyd i Lundain ac yn ennill ei fara menyn fel athro mathemateg, yn cynnig gwersi i unigolion yn ogystal â chynnal dosbarthiadau mewn siopau coffi gan godi tâl bach ar y cwsmeriaid. Ar ddechrau'r *Compendium* mae'n mynegi ei ddiolch i John Harris, gwyddonydd ac offeiriad Anglicanaidd a oedd wedi ei gynorthwyo yn y fenter: 'this treatise having been composed under your roof, attempted by your encouragement, and supervised and corrected by your friendly care'.

Trwy'r gweithgareddau hyn daeth i gysylltiad ag eraill a oedd hefyd yn ceisio sefydlu eu hunain yn Llundain. Un o'r rhain oedd y mathemategydd ifanc Abraham de Moivre (1667–1754), ffoadur o Ffrainc, a fu hefyd yn ennill ei grystyn mewn siopau coffi ac wrth gynnig gwersi preifat. Dywedir bod de Moivre yn awyddus i ddarllen y llyfrau mathemateg diweddaraf tra ar yr un pryd yn gorfod cerdded milltiroedd yn ymweld â'i ddisgyblion ar draws Llundain. Cyfunodd y ddau beth drwy rwygo tudalennau o'i lyfrau a'u hastudio wrth gerdded. Gallwn ddychmygu'r ddau fathemategydd, Jones a de Moivre, yn gwneud pob ymdrech i wella eu hunain drwy ddysgu mwy am eu pynciau a thrwy ehangu eu cylch dylanwad wrth ymweld â chartrefi boneddigion y brifddinas.

Trwy'r dylanwadau hynny cafodd William Jones ei benodi'n athro mathemateg yn 1704 mewn ysgol yn ardal Bethnal Green, Llundain. Yno y bu'n diwtor i Philip Yorke, a daeth y ddau yn gyfeillion oes. Dringodd Yorke i ben ei broffesiwn fel cyfreithiwr, gan wasanaethu fel Arglwydd Ganghellor dros 20 mlynedd olaf ei yrfa. Byddai Jones yn cyd-deithio gyda Yorke yn ystod ei gyfnod fel barnwr yn llysoedd y wlad. Cafodd ei gyfareddu gan y profiad, ac arweiniodd y cyswllt at iddo gael ei benodi am gyfnod yn ynad yn Westminster. Trwy'r cysylltiad hwn hefyd y cyflwynwyd Jones i sylw'r Arglwydd Brif Ustus Thomas Parker, yn ddiweddarach iarll cyntaf Macclesfield. Penodwyd Jones yn diwtor mathemateg a seryddiaeth i George, mab Thomas Parker, a chawn weld sut y datblygodd y cyswllt pwysig hwnnw yn hanes William Jones.

Ochr yn ochr â datblygu ei gysylltiadau â theuluoedd ei ddisgyblion, ni wastraffodd Jones ddim amser yn meithrin ei gysylltiadau ym myd mathemateg. Meistrolodd y datblygiadau mathemategol diweddaraf, ac yn 1706 cyhoeddodd grynodeb o gyflwr mathemateg ei gyfnod. *Synopsis palmariorum matheseos* yw teitl Lladin y llyfr hwnnw, er bod ei gynnwys yn Saesneg. Ystyr y teitl yn fras yw 'crynodeb o orchestion mathemateg'. Yn y llyfr hwn y mae'r arwydd π yn ymddangos am y tro cyntaf i gynrychioli cymhareb (*ratio*) cylchedd cylch i'w ddiamedr.

Defnydd cyntaf y symbol π. Adran Archifau a Llawysgrifau, Prifysgol Bangor.
Ar dudalen 243 *Synopsis* William Jones y gwelir y symbol π am y tro cyntaf.

Yn dilyn cyhoeddi ei *Synopsis*, daeth doniau Jones at sylw dau o brif wyddonwyr Prydain ar y pryd, Edmund Halley (yr enwir comed ar ei ôl) a Syr Isaac Newton. Drwy'r cysylltiadau hynny ehangodd cylch ei ddylanwad i gynnwys rhwydwaith o fathemategwyr Llundain a thu hwnt. Roedd yn ysgrifennu adre i Ynys Môn yn Gymraeg ond gohebai hefyd yn Saesneg, Ffrangeg a Lladin â chylch eang o ysgolheigion, mathemategwyr a seryddwyr Ewrop. Roedd 1711 yn flwyddyn bwysig i William Jones. Yn ystod y flwyddyn honno cynorthwyodd Newton i gyhoeddi llawysgrif am ddatblygiad calcwlws dan y teitl *Analysis per Quantitatum Series, Fluxiones, ac Differentias.* Roedd hon yn enghraifft o waith Jones yn copïo, golygu a chyhoeddi llawysgrifau Newton. Lluniodd Jones ragair i'r llyfr mewn Lladin gaboledig. Newton oedd llywydd y Gymdeithas Frenhinol ar y pryd a doedd dim syndod i Jones, cyfaill a hyrwyddwr Newton, gael ei ethol ar 30 Tachwedd 1711 yn FRS. Daeth Jones yn aelod pwysig a dylanwadol o'r sefydliad gwyddonol ac ehangodd ei gylch o gyfeillion a chefnogwyr ymhellach.

Yn yr un flwyddyn, 1711, collodd Jones yr ychydig arian roedd wedi llwyddo i'w gynilo pan aeth ei fanc i drafferthion a gorfod cau. Erbyn hynny roedd y masnachwr cefnog a fu'n ei gynorthwyo yn Llundain o'r cychwyn cyntaf wedi marw. Priododd Jones weddw'r masnachwr a datryswyd ei broblemau ariannol dros nos.

Erbyn 1716 roedd Thomas Parker wedi prynu castell Shirburn, ger Rhydychen, a threuliai Jones gyfnodau yn byw yn y castell gyda'r teulu yn dyfnhau ei gyfeillgarwch â'r mab, George, gan gynnwys ei hyfforddi mewn mathemateg a seryddiaeth. Etholwyd Thomas Parker yn FRS yn 1713. Yn 1722 etholwyd y mab, ac yntau ond yn 25 oed, hefyd yn FRS a threuliai lawer o'i amser yn gwneud arsylwadau seryddol yn Shirburn, y cartref bellach wedi ei ehangu i gynnwys arsyllfa a labordy cemeg. Comisiynodd George

Parker lun ohono'i hun a llun o Jones gan William Hogarth, un o brif arlunwyr y cyfnod. George Parker dalodd am y gwaith, wrth gwrs. Mae'r lluniau hynny bellach yn yr Oriel Bortreadau Genedlaethol yn Llundain, y llun o Jones (ar ben y bennod hon) efallai'n orgaredig os gellir credu disgrifiadau eraill ohono fel 'little shortfaced Welshman'. Mae'n ymddangos y gallai Jones fod yn llym wrth ddychanu ei wrthwynebwyr, ond doedd o byth yn dal dig. Safai'n gadarn dros y gwirionedd ac roedd bob amser yn barod i amddiffyn ei gyfeillion.

Roedd George Parker wedi elwa'n sylweddol o'r addysg a'r arweiniad a gafodd gan Jones. Yn 1750 traddododd Parker bapur i'r Gymdeithas Frenhinol yn seiliedig ar ei waith seryddol. Roedd Parker yn cefnogi'n frwd y mudiad i fabwysiadu'r calendr Gregoraidd yn lle'r calendr Julian, newid a dderbyniodd sêl bendith mewn deddf seneddol yn ddiweddarach yn 1750. Digwyddodd y newid yn y calendr ym Mhrydain yn 1752. Yn y flwyddyn honno dilynwyd Dydd Mercher 2 Medi gan Ddydd Iau 14 Medi, er mawr ddryswch i'r bobl gyffredin.

Ceir awgrymiadau fod y cysylltiad rhwng Parker a Jones wedi cynnwys ambell sgandal. Mae'n debyg i George, fel dyn ifanc, fynd i 'drafferthion' yn yr Eidal ar ganol ei Daith Fawr drwy Ewrop, a bod Jones wedi llwyddo i ddatrys yr anawsterau a ddaeth yn sgil y trafferthion hynny. Mae'n bosibl hefyd i'r dywediad 'Macclesfield was the making of Jones, and Jones the making of Macclesfield' gyfeirio at y posibilrwydd mai William Jones, ac nid George Parker, oedd tad y trydydd iarll: ceir awgrym bod Jones wedi manteisio ar briodferch ifanc Parker yn ystod noson ddi-gwmwl yng Nghastell Shirburn pan oedd holl sylw Parker ar astudio'r sêr a'r planedau. Erbyn hynny roedd Jones yn ddyn gweddw, ond ymhen hir a hwyr cyfarfu â Mary Nix, merch ddeallus a deniadol George Nix, saer dodrefn enwog a chyfoeswr Thomas Chippendale. Roedd George Nix yn gyfaill i Thomas Parker a chyfarfu'r ddau – William a Mary – yng Nghastell Shirburn, a phriodi yn 1731. Roedd Mary yn 25 oed a William yn 56.

Rhoddwyd pob cefnogaeth gan deulu Shirburn i Jones ddilyn ei ddiddordeb cynyddol mewn casglu llyfrau, a datblygodd lyfrgell heb ei hail yn Shirburn. Bu farw Jones yn Llundain yn 1749. Yn ei ewyllys gadawodd ei lyfrgell o tua 15,000 o gyhoeddiadau a rhyw

50,000 tudalen o lawysgrifau, gan gynnwys nifer o lawysgrifau Newton, i drydydd iarll Macclesfield, yr oedd Jones yn dad iddo, os gwir yr hanes. Diogelwyd tua 350 o lyfrau a llawysgrifau Cymraeg o'r llyfrgell ac, ers tua'r flwyddyn 1900, maent yn ffurfio Casgliad Shirburn yn y llyfrgell genedlaethol yn Aberystwyth.

Ganrif yn ddiweddarach, yn 2001, gwerthwyd y rhannau o lyfrgell Jones a oedd yn cynnwys papurau a llyfrau nodiadau Newton i lyfrgell Prifysgol Caergrawnt am tua £6 miliwn, arian a godwyd yn rhannol trwy gyfraniadau unigolion. Gwerthwyd rhan helaeth o weddill cynnwys y llyfrgell mewn cyfres o arwerthiannau yn 2004 a 2005 a drefnwyd gan gwmni Sotheby's, Llundain. Elwodd teulu Macclesfield yn sylweddol ar y gwerthiant, ond mae'r casgliad amhrisiadwy hwn bellach ar wasgar yn nwylo casglwyr preifat.

Cadwodd Jones gyswllt achlysurol â Chymru, gan gynnwys trwy Richard Morris, sylfaenydd Cymdeithas y Cymmrodorion yn Llundain, ac un o'r pedwar brawd llengar a dylanwadol y cyfeirir atynt fel Morrisiaid Môn. Roedd Jones genhedlaeth yn hŷn na'r brodyr ond yn hanu o'r un ardal. Mewn llythyr ato yn 1745, a hwnnw yn Saesneg yn ôl arfer y cyfnod, mae Richard Morris yn gofyn am ei farn am fater yn ymwneud â chyfieithiad y Beibl i'r Gymraeg. Nid hwn oedd y tro cyntaf i Morris ofyn am ei farn ac mae'n ymddiheuro am droi ato unwaith eto ond, meddai, '*Y cŷn a gerddo a yrir [sic]* says the old proverb – so your kind communicative temper and former favours to me emboldens me to be again thus troublesome.'

Ganwyd yr olaf o dri phlentyn ail briodas Jones yn 1746, brin dair blynedd cyn i Jones farw yn 74 oed. William Jones oedd yr enw a roddwyd ar y mab hefyd, a hynny wedi creu cryn ddryswch dros y blynyddoedd. Daeth y mab yn un o brif farnwyr yr India a'i urddo'n farchog yn 1783. Roedd Syr William yn arbenigwr ar ieithoedd y dwyrain, a sefydlodd gysylltiadau rhwng ieithoedd Ewrop a'r India, gan brofi iddynt darddu o'r un gwreiddyn. Er nad mathemateg oedd arbenigedd Syr William, datblygodd sgiliau dadansoddi patrymau geiriau fel sgiliau William Jones, y tad, wrth i hwnnw ddadansoddi patrymau rhifau.

Ar un olwg, felly, mae bywyd Jones yn glytwaith o fagu cysylltiadau a defnyddio'r cysylltiadau hynny i gryfhau ei ddylanwad: Arglwydd Bulkeley ym Môn; y masnachwr cyfoethog a'i weddw, a ddaeth yn wraig gyntaf iddo; John Harris, hyrwyddwr ei lyfr cyntaf; ei ail wraig Mary Nix, merch saer dodrefn adnabyddus; cylch mathemategwyr Llundain gan gynnwys Newton a Halley; cylch Cymry Llundain, yn arbennig y Monwysiaid yn eu plith; ac, yn bennaf oll, teulu Iarll Macclesfield. Ond trwy'r cyfan, cyfrannodd Jones gymaint ag a dderbyniodd, wrth iddo godi o'i wreiddiau mewn tyddyn ym Môn i fod yn ddylanwad pwerus ym mywyd mathemategol a gwyddonol Prydain.

Mae crynodeb yr Arglwydd Teignmouth o nodweddion personoliaeth Jones yn crisialu'r cyfan: 'The private character of Mr Jones was respectable, his manners were agreeable and inviting; and these qualities not only contributed to enlarge the circle of his friends, whom his established reputation for science had attracted, but also to secure their attachment to him' (*Works*, 1, t. 6).

Nod William Jones, o ran ei fathemateg, fel yr eglura yn ei gyflwyniad i'r *Compendium*, oedd sicrhau '[that] all thinking men will at least be able to distinguish between...useless speculations, and...profitable learning; and that they will pursue the latter with a vigour and diligence, as eminent as is their contempt of the former'.

Pos odrifau ac eilrifau

Beth yw cyfanswm yr odrifau o 1 hyd at 99:

1 adio 3 adio 5 adio...adio 99?

Beth yw cyfanswm yr eilrifau o 2 hyd at 100:

2 adio 4 adio 6 adio...adio 100?

3 FEL PADER AETH PŴER PAI

I bedwar ban byd

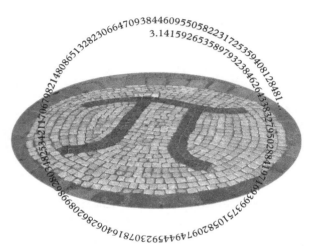

3.14159265358979323846264338327950288419716939937510582097494459230781640628620899862803482534211706798214808651328230664709384460955058223172535940812848...

Symbol π ar ffurf mosaig o flaen adeilad mathemateg prifysgol Technische Universität Berlin.

Pai Lismore.

Ffurfiwyd y symbol π hwn gan 1,170 o fyfyrwyr a staff ysgol gyfun Lismore yn Craigavon, sir Armagh, Gogledd Iwerddon, ar 14 Mawrth 2019. Yn ôl Guinness World Records, hwn yw'r symbol mwyaf o'i fath...hyd yma.

Awelsoch chi'r ffilm boblogaidd *Life of Pi*? Roeddwn yn eithaf sicr mai hanes fy hoff rif fyddai'r ffilm hon, y rhif hud hwnnw y mae pob plentyn ysgol yn dod ar ei draws wrth astudio perimedr ac arwynebedd cylchoedd. Ie, dyna chi, y rhif π.

Hyd y neidr hon yw tua 3.14 metr. Sut fath o neidr yw hi?

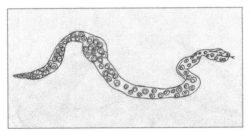

Llun: Elis Ioan Roberts.

Ateb: peithon, wrth gwrs!

Ond na, nid hanes π sydd yn y ffilm *Life of Pi* ond hanes yr hogyn Piscine Patel o'r India a'i berthynas â theigr. Mae hanes y rhif π llawn mor rhyfeddol â hanes Pi a'i deigr. Mae π fel petai wedi gwthio'i hun i bob cornel o fathemateg, yn rhif pwysig wrth ddehongli patrymau mathemategol o bob math, nid dim ond wrth astudio cylchoedd. Mae perthynas annisgwyl arall rhwng y rhif π a theigr Pi. Wrth gydio teigr yn ei gynffon rydych yn sicr o gael eich llusgo hwnt ac yma. Mae'r rhif π hefyd, wrth ei ysgrifennu fel degolyn, yn mynd â chi ar daith draws gwlad ddi-ddiwedd.

Cyn dilyn y teigr ar ei hynt, cymerwn anadl a dechrau yn y dechrau. Mae'n debyg mai'r Groegwr Archimedes (tua 400 cc) oedd un o'r cyntaf i geisio deall sut i ddadansoddi siapiau crwm: cylch, sffêr, côn ac ati. Un diwrnod, wrth dynnu lluniau cylchoedd yn y tywod, sylwodd fod y pellter o amgylch cylch – ei gylchedd – ychydig dros deirgwaith ei ddiamedr. Sylwodd hefyd nad yw'r gymhareb (*ratio*) hon yn dibynnu ar faint y cylch. Yr un yw'r gymhareb wrth fesur modrwy ag wrth fesur y lleuad, sef rhif sydd ychydig yn fwy na 3. Y rhif hwn – '3 ac ychydig yn fwy' – yw'r rhif sy'n cael ei alw heddiw yn π, ond doedd gan Archimedes ddim symbol ffurfiol i'w gynrychioli. Sut i fynd ati i ddarganfod yr 'ychydig yn fwy' oedd y cwestiwn a boenai Archimedes. I wneud hynny byddai angen dadansoddi siapiau crwm, siapiau a oedd y tu hwnt i gyrraedd mathemateg y Groegiaid. Gweledigaeth Archimedes oedd canfod ffordd wreiddiol i amcangyfrif y '3 ac ychydig yn fwy'. Dangosodd Archimedes fod yr 'ychydig' yn llai na'r ffracsiwn 1/7 ac yn fwy na'r ffracsiwn 10/71. Ffracsiynau oedd dull y Groegiaid o weithio gyda rhifau; aeth canrifoedd lawer heibio cyn y daeth degolion i fri. Roedd dangos bod π yn llai na $3\frac{1}{7}$ ac yn fwy na $3\frac{10}{71}$ yn dipyn o gamp.

Mae'r disgrifiad yn yr Hen Destament o godi Palas Solomon yn Jerwsalem tua'r cyfnod 800 CC, rhyw bedair canrif cyn cyfnod Archimedes yng Ngwlad Groeg, yn cynnwys y mesuriadau hyn o 'fasn anferth' crwn:

Yna dyma fe'n gwneud basn anferth i ddal dŵr. Roedd hwn wedi'i wneud o bres wedi'i gastio, ac yn cael ei alw 'Y Môr'. Roedd yn bedwar metr a hanner ar draws o un ochr i'r llall, dros ddau fetr o ddyfnder ac un deg tri metr a hanner o'i hamgylch.

1 Brenhinoedd 7:23, *beibl.net*

Cylchedd y basn yw 13.5m, sydd union deirgwaith diamedr y basn, 4.5m. Mae fel petai gwneuthurwyr y basn wedi cymryd gwerth π yn 3, a bod hynny'n ddigon agos ati i bob pwrpas ymarferol yn y cyd-destun hwn.

Felly yr arhosodd pethau am flynyddoedd lawer. Pe byddech yn holi oedolion heddiw beth yw gwerth π, yr atebion mwyaf cyffredin – ar wahân i, 'Does gen i ddim syniad' – fyddai 22/7 neu $3^1/_7$ fel ffracsiwn neu 3.14 fel degolyn. Roedd hi'n arferol tan yn ddiweddar i weld cyfarwyddyd ar ben papurau arholiad i ddisgyblion ddefnyddio 22/7 fel gwerth π. Nid yw'n syndod, felly, i bobl gymryd mai'r $3^1/_7$ hwn yw'r '3 ac ychydig yn fwy', heb sylweddoli mai amcangyfrif gwreiddiol Archimedes ddwy fil a hanner o flynyddoedd yn ôl oedd hynny. Wrth ysgrifennu $3^1/_7$ fel degolyn cawn 3.1428...sydd ond yn cyfateb i wir werth π i ddau le degol – dim ond y digidau 3, 1 a 4 sy'n gywir.

'Draw, draw yn Tsieina' tua'r flwyddyn 500 OC darganfu Zu Chongzhi ffracsiwn sy'n agosach o lawer at werth π nag yw 22/7. Y ffracsiwn rhyfeddol hwnnw yw 355/113. Gwerth 355/113 fel degolyn yw 3.14159292..., sy'n cytuno â gwerth π i chwe lle degol, ac felly mae'r ffracsiwn dipyn yn nes ati na 22/7. At ddibenion ymarferol bob dydd mae 355/113 yn ateb y gofyn i'r dim, a hwn a ddefnyddir yn aml gan beirianwyr electronig mewn rhaglenni cyfrifiadurol er mwyn cyfrifo gwerth π yn fras ac yn gyflym. Ond un peth ydy bodloni peirianwyr; peth arall ydy bodloni mathemategwyr sy'n mynnu cywirdeb llawer llymach.

Bu rhaid aros am dros fil o flynyddoedd cyn y datblygiad arwyddocaol nesaf. Roedd Ludolph van Ceulen (1540–1610) yn fathemategydd o Hildesheim yn yr Almaen a ymfudodd i'r Iseldiroedd. Yno, yn Delft a Leiden, gweithiodd fel athro mathemateg a hyfforddwr ymladd â chleddyf (o bopeth). Rhoddodd ei fryd ar wella ar werth π gan ymestyn dulliau Archimedes. Ar ei garreg fedd yn Leiden ysgrifennir π yn gywir i 35 lle degol, y rhif a ddarganfuwyd gan van Ceulen, camp aruthrol ag ystyried y cyfnod. Hwn yw rhif Ludolph, a argraffwyd ar ei garreg fedd:

3.14159265358979323846264338327950288...

Erbyn cyfnod Isaac Newton (1643–1727) roedd mathemategwyr – Newton ei hun yn Lloegr a Gottfried Wilhelm Leibnitz yn yr Almaen – wedi dechrau datblygu technegau mathemateg cwbl newydd (y calcwlws) a agorodd y llifddorau i ddadansoddi pob math o broblemau, gan gynnwys effaith disgyrchiant, a chyfrinachau symudiadau'r planedau, y lloer a'r sêr. Fel cyfaill Newton ac un a'i cynorthwyodd i gyhoeddi ei waith, roedd William Jones (gweler Pennod 2) wedi meistroli'r technegau newydd hyn. Wrth eu cymhwyso i gylchoedd daeth Jones i sylweddoli nad oedd π yn cyfateb i unrhyw ffracsiwn – nid i 22/7 nac i 355/113 nac i unrhyw ffracsiwn arall. Gwelodd hefyd fod π, fel y degolyn 3.14159..., yn mynd ymlaen ac ymlaen am byth – dros bant a bryn fel teigr Pi a ninnau feidrolion yn ceisio dal yn sownd yn ei gynffon. Yn ei lyfr *Synopsis palmariorum matheseos*, ysgrifennodd Jones: 'the exact proportion between the diameter and the circumference can never be expressed in numbers'. Dyna oedd camp Jones a dyna pam y penderfynodd ddewis symbol arbennig i gynrychioli'r rhif.

O Fôn ar draws y Fenai,
Fel pader aeth pŵer pai.
Llion Jones

Mewn Groeg, π yw llythyren gyntaf y gair am 'ffin' (περιφέρεια), a π hefyd yw llythyren gyntaf y gair am 'berimedr' (περίμετρος). Mae'n debyg bod y naill neu'r llall (neu'r ddau) wedi dylanwadu ar ddewis Jones o'r symbol arbennig hwn. Poblogeiddiwyd y symbol π yn 1737 gan y mathemategwr dylanwadol o'r Swistir, Leonhard Euler, ond bu angen aros tan 1934 cyn y cafodd y symbol ei fabwysiadu'n rhyngwladol. Bellach mae'r symbol π yn gyfarwydd i bob disgybl ysgol uwchradd. I William Jones y mae'r diolch am hynny.

Mae'r rhif rhyfeddol hwn yn codi'n aml mewn mathemateg, ac nid yn unig wrth drin cylchoedd a phethau crwm eraill. Rhyfeddwch, er enghraifft, at yr hafaliad hwn:

$$\pi/4 = 1 - 1/3 + 1/5 - 1/7 + ...$$

Ystyr y dotiau '...' yw dangos bod y ffracsiynau'n mynd ymlaen yn ddiderfyn, y ffracsiwn nesaf fydd adio 1/9, yna tynnu 1/11 ac yn y blaen. Wrth barhau i wneud hynny bydd gwerth y sym ar yr ochr dde yn dod yn nes ac yn nes at werth π/4, sef union chwarter π. Sut ar wyneb daear y mae'r rhif π wedi llwyddo i ymddangos mewn hafaliad o'r fath? Mae symlrwydd yr hafaliad hefyd yn ychwanegu at ei hud a'i ledrith.

Yn 1949 cyfrifwyd mai milfed digid π yw 9, pe byddai ots am hynny, a denwyd mathemategwyr i geisio canfod mwy am batrymau digidau π. Erbyn hyn mae'r cyfrifiaduron mwyaf pwerus wedi cyfrifo π yn gywir i driliynau o leoedd degol. Mae'r rhif yn destun llawer o waith ymchwil gan fathemategwyr, cymaint yw ei bwysigrwydd parhaol mewn mathemateg heddiw.

Arwydd o boblogrwydd y rhif π yw'r cynnydd mewn diddordeb yno, nid yn unig gan fathemategwyr proffesiynol, ond gan bawb sy'n ymddiddori mewn rhifau. Ers 1988 mae 14 Mawrth wedi cael ei ddynodi'n ddiwrnod rhyngwladol i ddathlu π. Larry Shaw gychwynnodd yr arferiad yn San Francisco ar sail patrwm Americanwyr o ysgrifennu dyddiad gyda'r mis yn gyntaf. Felly 14 Mawrth yw 3/14 yn y patrwm hwn a gwerth π i ddau le degol yw 3.14 (tri-pwynt-un-pedwar). Ym mis Mawrth 2009, cytunodd Tŷ Cynrychiolwyr Unol Daleithiau America i ddynodi 14 Mawrth fel Diwrnod Pai, i'w ddathlu'n rhyngwladol. Ers hynny mae'r diwrnod wedi ysgogi mwy a mwy o weithgareddau, yn arbennig mewn ysgolion a cholegau, a llawer o fwyta peis amrywiol eu cynnwys! I gydnabod y cysylltiad Cymreig dynodwyd 14 Mawrth yn Ddiwrnod Pai Cymru gan Lywodraeth Cymru yn 2015.

Camp sydd wedi denu sylw poblogaidd yw ceisio cofio cynifer â phosibl o ddigidau π. I ddathlu Diwrnod Pai Cymru yn 2015, aeth llond bws o blant Ysgol Gynradd Llanfechell (pentref ysgol William Jones) i stesion Llanfairpwllgwyngyll, a ailfedyddwyd yn 'Llanfair π G' am y diwrnod. Ymysg eu gweithgareddau yno, gyda chamerâu'r cyfryngau yn eu ffilmio, adroddodd y plant tua 20 o ddigidau π ar eu cof, ac roedd ambell un ohonynt yn gallu adrodd hyd at ryw 30 digid. Roedd yn gryn gamp, platfform y stesion wedi'i wyrdroi yn llwyfan eisteddfodol a'r plant yn cynorthwyo'i gilydd i gofio pob manylyn.

Clywir straeon am gamp unigolion yn cofio llawer mwy o ddigidau π, a thasg Guinness World Records yw gwirio'r honiadau gorchestol hynny gan ofalu bod swyddogion yn bresennol i gadw cofnod ffurfiol o'r canlyniadau. Y pencampwr presennol am gofio'r nifer mwyaf o ddigidau π yw Rajveer Meena, myfyriwr 21 oed ar y pryd a adroddodd 70,000 digid ym mhrifysgol VIT, Vellore, yn India, ar 21 Mawrth 2015, dros gyfnod o ddeg awr â mwgwd dros ei lygaid. Honnir bod myfyriwr yn Siapan wedi adrodd 111,700

Plant Ysgol Gynradd Llanfechell yn dathlu Diwrnod Pai Cymru yn 2015.

digid ond nid yw'r honiad hwnnw wedi cael ei gadarnhau dan amodau Guinness World Records.

Mae eraill wedi cael eu hysbrydoli gan gyfaredd y digidau i lunio darnau o lenyddiaeth, gan gynnwys llyfrau cyfan, sy'n dilyn patrwm digidau π: y gair cyntaf yn cynnwys 3 llythyren, yr ail 1 lythyren, y trydydd 4 llythyren, ac felly ymlaen ar hyd llwybr diddiwedd 3.141592... Ceir cerddi hefyd – 'paigerddi' – sy'n ceisio mynegi cyfaredd y rhif wrth chwarae â phatrwm ei ddigidau. Rhywbeth fel hyn:

Rhif o bwys
o hanes mathemateg dy fodrwy lachar
neu leuad ddisglair wybrennol dychymyg Monwysion – pai yw.

Wrth gyfri'r llythrennau ymhob gair yn eu tro – 3 llythyren yn y gair 'rhif', 1 lythyren yn y gair 'o', 4 llythyren yn y gair 'bwys', ac felly ymlaen – cewch 17 digid cyntaf π: 3.1415926535897932.

Rhowch gynnig ar lunio paigerdd eich hun – mae'r sialens yn debyg i ddatrys pos Sudoku gyda geiriau yn hytrach na rhifau.

Un sydd wedi cael ei swyno gan y rhif π a'i ddigidau ac a ddisgrifiodd y profiad hwnnw'n drawiadol iawn yw Daniel Tammet, llenor o Lundain sydd â'r ddawn arbennig i gofio rhifau. Ymhell wedi iddo adael ysgol roedd cyfaredd π yn parhau i'w ddenu. 'Roedd y digidau wedi sleifio'n llechwraidd i'm cof', meddai, ac aeth ati'n fwriadol ac yn drefnus i geisio cofio myrdd ohonynt. Yn 2004, yn 24 oed, rhoddodd Tammet ei gof ar brawf yn gyhoeddus ar bnawn 14 Mawrth – Diwrnod Pai, wrth gwrs – yn Amgueddfa Gwyddoniaeth Rhydychen. Dychmygwch yr olygfa:

Mae'r adeilad yn llawn, pawb yn gwrando'n astud ar Tammet yn adrodd rhesi o ddigidau un ar ôl y llall, y tempo'n gyson ond mae'n arafu o dro i dro fel petai'n chwilio am ysbrydoliaeth cyn ailgyflymu. 'Hwnt ac yma ni allaf lai na sylwi ar ambell ddeigryn', meddai. 'Does neb wedi eu rhybuddio y gallai'r rhifau eu cyffwrdd. Ond maent yn ildio'n llawen i'w llif.' Am bum awr a naw munud ymwelodd tragwyddoldeb â'r amgueddfa, dawns y digidau'n cyfareddu'r gynulleidfa wrth greu patrymau di-batrwm, y digidau'n ymgiprys am flaenoriaeth. Erbyn y diwedd mae Tammet wedi adrodd 22,514 o ddigidau. Mae'r cyfan yn cael ei wireddu cyn i'r arolygwyr gadarnhau bod hynny'n record Ewropeaidd newydd. Yn union fel diweddglo cyngerdd o gerddoriaeth glasurol, mae'r dorf yn ymdawelu am ennyd cyn dangos eu cymeradwyaeth a diflannu wedyn i niwloedd diwedd pnawn strydoedd y ddinas gyda digidau π yn eu dilyn yn llechwraidd yr holl ffordd adref.

Wrth i Gymru ddechrau cymryd perchnogaeth o gamp William Jones yn cyflwyno'r symbol π ac wrth ddynodi 14 Mawrth yn Ddiwrnod Pai Cymru, daeth rhagor o gyfleoedd i ddathlu'r rhif ar y diwrnod arbennig hwnnw yn ein calendr.

Ar Ddiwrnod Pai Cymru 2017 aeth Ysgol Gyfun Garth Olwg, ger Pontypridd, ati i wneud ffilm syml ond trawiadol i ddathlu π. Mae'r ffilm yn cychwyn gyda phennaeth yr ysgol, sy'n sefyll o flaen ei ystafell, yn dweud y gair 'tri', a dim mwy. Wrth ei ochr y mae un o weinyddwyr yr ysgol yn dweud 'un', yna mae un o'r disgyblion yn dweud 'pedwar', cyn i'r camera symud ymlaen i'r nesaf, a'r nesaf, a'r nesaf. Yn raddol, rydych yn sylweddoli bod pawb yn yr ysgol yn cyfrannu at y ffilm – yr athrawon, y cynorthwywyr, y disgyblion – pawb yn cydio yn ei rif ar ddarn bach o bapur ac yn barod i ymestyn π ar hyd y coridorau, i fyny ac i lawr y grisiau, yn union fel profiad Pi yn ceisio cadw rheolaeth ar ei deigr.

Mae'r profiad o edrych ar y ffilm yn symud o unigolyn i unigolyn yn gwbl gyfareddol, ac mae'r ffilm yn dangos yn syml ond yn effeithiol ein bod i gyd, pob un ohonom, yn gallu mwynhau a meddiannu ein mathemateg.

Mae'r rhif π wedi cydio yn nychymyg mathemategwyr yn ogystal ag artistiaid a llenorion. Mae hefyd wedi cydio yn nychymyg plant. Rhan o gyfaredd π yw sut y mae bwrlwm di-drefn ei ddigidau yn gallu codi o syniad mor syml ac mor berffaith â chylch. Cychwynnodd π ei fywyd fel cymhareb ddi-nod ond mae bellach yn eicon diwylliannol i'r holl fyd. Y rhif hwn yw draig goch ein mathemateg.

Pos pai

Mae'r frawddeg Saesneg 'How I wish I could calculate pi' yn mnemonig cofiadwy i'n cynorthwyo i adrodd saith digid cyntaf π wrth gyfrif nifer y llythrennau ymhob gair: 3.141592...

Fedrwch chi lunio mnemonig Cymraeg cofiadwy ar gyfer saith digid cyntaf π?

Fedrwch chi lunio mnemonig Cymraeg cofiadwy ar gyfer nifer gwahanol o ddigidau cyntaf π?

4 HAP A DAMWAIN

Llangeinwyr a Phen-y-bont ar Ogwr

Richard Price (1723–1791), Llangeinwyr

Rhan o reilin coffa Richard Price yn Llangeinwyr.

William Morgan (1750–1833), Pen-y-bont ar Ogwr

Llun gan Benjamin West (1784). *Trwy ganiatâd Paul Frame.*

$$P(A \mid B) = \frac{P(B \mid A)P(A)}{P(B)}$$

Hafaliad Bayes-Price.

Ysgythriad gan William Say (1803), ar sail llun gan George Hounsom. *Trwy ganiatâd Paul Frame.*

Doeddwn i erioed wedi cwestiynu pam yr oedd nain (mam fy mam) yn gwisgo dillad du bob dydd. Dim ond yn raddol y cefais ddeall fod ei gŵr, Thomas Foulkes, aelod o'r heddlu yn nhref y Fflint, wedi marw yn 42 oed. Roedd gan nain ddwy ferch fach ar y pryd: fy mam, Mair, yn 6 oed, a'i chwaer hŷn, Olwen, yn 12 oed. Roedd nain bum mis yn feichiog a'r teulu'n byw yng ngorsaf yr heddlu yn y Fflint. Bu farw fy nhaid yn dilyn gwaeledd byr a sydyn. O'r diwrnod hwnnw ymlaen gwisgai nain ddillad du, a du yn unig, am weddill ei hoes – cyfnod o dros 57 mlynedd. Mae gen i gof plentyn iddi fentro prynu het biws ar un adeg – roedd yn hoff iawn o hetiau – ond i'r het honno orfod mynd yn ôl i'r siop cyn pen dim.

Ar farwolaeth fy nhaid cafodd y teulu bach – nain, Mair ac Olwen – rybudd y byddai'n rhaid iddynt adael eu llety yn yr orsaf o fewn pythefnos. Cawsant gartrefu dros dro gyda pherthnasau eraill cyn i nain gael cynnig i redeg siop fechan Bryncelyn ger Treffynnon a ddatblygodd wedyn i fod yn is-swyddfa bost hefyd. Erbyn hynny roedd y teulu'n cynnwys nain a'i thair o ferched, wedi i Heulwen gael ei geni, y pedair ohonynt yn byw y tu cefn i'r siop gyda'r ystafelloedd gwely uwchben. Doedd pethau ddim yn hawdd i nain wrth iddi ofalu am dair o ferched a rhedeg siop a swyddfa bost, ond cafodd lawer o gefnogaeth a chynhaliaeth gan y teulu estynedig a'i chyfeillion capel. Ond rhyw grafu byw oedd ei phrofiad yn y dyddiau cynnar hynny.

Roedd rheolau'r heddlu wedi gorfodi'r teulu i adael eu cartref ond roedd yno hefyd fantais fod y tad wedi gweithio i'r heddlu, oherwydd derbyniodd nain bensiwn gweddwon gan yr heddlu o'r diwrnod y bu fy nhaid farw, fy nain yn 37 oed ar y pryd, hyd at y diwrnod y bu hithau farw yn 95 oed. Derbyniodd nain fwy o arian dros y cyfnod maith hwnnw nag a dalodd fy nhaid i mewn i'r cynllun pensiwn dros y cyfnod o ychydig dros 21 mlynedd y bu yng ngwasanaeth yr heddlu.

Hynny, wrth gwrs, yw holl bwrpas cynllun pensiwn gweddwon. Mae pawb yn talu i mewn i'r cynllun ar yr un raddfa, gyda rhai, fel fy nain, ar eu hennill oherwydd iddi allu manteisio ar y pensiwn am gynifer o flynyddoedd. Pe byddai fy nain wedi marw o fewn dim ond blwyddyn, dyweder, i farwolaeth fy nhaid, byddai ei phensiwn dros y flwyddyn honno wedi bod yn llai na thaliadau ei gŵr i'r cynllun. Mae'n arwydd o warineb ein cymdeithas fod cynlluniau pensiwn gweddwon a chynlluniau pensiwn tebyg wedi datblygu i roi cymorth i'r anghenus a'u hamddiffyn mewn cyfnodau caled. Un o nodweddion siop Bryncelyn, fel llawer o siopau bach eraill y cyfnod, oedd bod dwy neu dair o gadeiriau o flaen y cownter er mwyn i rai o'r cwsmeriaid, yn arbennig y rhai hynaf, gael cyfle i eistedd i gael eu gwynt atynt ac i fwynhau ychydig o sgwrs gyda nain cyn troi am adref. Hoffai nain adrodd am ymweliadau wythnosol un o hen gymeriadau'r ardal i godi ei phensiwn gwladol. Ar bob ymweliad byddai'n dal ei llyfr pensiwn i'r awyr gan ddatgan yn uchel, 'Diolch, Lloyd George!' Cyflwynodd David Lloyd George, Canghellor y Trysorlys ar y pryd, y cynllun pensiwn gwladol yn 1908. Roedd y cynllun yn talu rhwng swllt a phum swllt yr wythnos i bawb dros 70 oed nad oedd eu hincwm wythnosol dros 12 swllt. Y cynllun hwnnw oedd achubiaeth sawl teulu nad oedd ganddynt unrhyw incwm arall nac yn gallu manteisio ar bensiwn gwaith fel y gwnaeth nain. Rydym yn derbyn yr egwyddor o dalu'n cyfraniadau i'r cynllun yswiriant cenedlaethol tra byddwn mewn gwaith, gan wybod y daw pensiwn gwladol wedi inni ymddeol, ac y bydd rhai, yn anorfod, yn byw'n hirach nag eraill ac yn elwa'n fwy ar y pensiwn hwnnw. Mae'r egwyddor yn glir ac yn gwbl dderbyniol.

Yr un yw'r egwyddor sylfaenol sy'n sail i unrhyw bolisi yswiriant – rydych yn talu am yswiriant er mwyn cael sicrwydd y byddwch yn gallu wynebu newid yn eich amgylchiadau. Wrth wneud hynny, rydych, yng nghefn eich meddwl, yn pwyso a mesur beth yw'r siawns, beth yw'r tebygolrwydd, y bydd angen yr yswiriant arnoch.

Weithiau mae'r dewis o dalu am yswiriant yn eich dwylo chi. A oes yno wir angen yswiriant ar y teledu? Beth yw'r tebygolrwydd y bydd yn ffrwydro? Gall fod yn ddoeth weithiau i godi yswiriant 'rhag ofn', er enghraifft os ydych yn byw mewn ardal sy'n dioddef o lifogydd o dro i dro. Weithiau, mae yna orfodaeth arnoch i godi yswiriant; rydych yn torri'r gyfraith os nad oes gennych yswiriant ar eich car, hyd yn oed os ydych o'r farn eich bod yn yrrwr hynod o ofalus a diogel.

Mae pethau'n cymhlethu wrth feddwl am yswiriant ar gyfer sicrhau pensiwn digonol. Mae'r cynllun pensiwn gwladol yn sicrhau isafswm i bawb sydd wedi bod yn talu cyfraniadau i'r cynllun yswiriant cenedlaethol. Ar ben hynny, efallai eich bod, fel roedd fy nhaid, yn talu i mewn i gynllun pensiwn gwaith – yr unigolyn yn talu cyfran yn fisol i'r cynllun a'r cyflogwr hefyd yn cyfrannu. Os ydych yn hunangyflogedig, mae gennych ddewis i brynu cynllun yswiriant pensiwn eich hun ac efallai y byddai angen cyngor gan arbenigwr arnoch ynghylch hynny.

Cyfrifoldeb unrhyw gorff sy'n cynnig polisi yswiriant, boed hwnnw'n gwmni preifat neu yn rhan o'r wladwriaeth, yw penderfynu beth yw cost yr yswiriant – beth yw'r taliad blynyddol wrth brynu yswiriant car, neu'r taliad ar gyfer yswirio'ch teledu, neu faint sydd angen ei dalu i'r cynllun pensiwn gwaith. Ac, wrth gwrs, gall amgylchiadau newid o dro i dro a hynny'n gallu peri cryn ofid os yw'r taliadau'n codi'n sylweddol neu os yw gwerth y cynllun yn gostwng.

Un o'r amgylchiadau sy'n newid yn gyson ym myd cynlluniau pensiwn ydy'r ffaith ein bod, ar gyfartaledd, yn byw yn hirach – mae gwelliannau mewn meddygaeth, yr anogaeth arnom i fwyta'n iachach, i ymarfer yn rheolaidd, i beidio ag ysmygu na goryfed, i gyd yn ffactorau sy'n ymestyn oes. O ganlyniad mae'r cynlluniau pensiwn yn talu allan mwy bob blwyddyn gyda pheryg i'r gronfa bensiwn grebachu. Nid oes modd gwadu'r ffeithiau. Ond mae hefyd yn gur pen i weithwyr sydd mewn perygl o golli arian yn y tymor hir yn sgil unrhyw newid.

Dau beth sy'n sicr o godi ffrae ac anghydfod yn y lle gwaith, sef unrhyw newid i'r cynllun pensiwn ac unrhyw newid yn y rheolau parcio, yn arbennig os ydych mewn perygl o golli'ch hawl awtomatig am le yn y maes parcio. Gwae ni! Ond mae bygythiad i werth eich pensiwn yn cydio mewn rhywbeth llawer dyfnach, rhywbeth sydd ym mêr eich esgyrn.

Mae'r syniad o yswiriant yn fynegiant o'n gwerthoedd fel cymdeithas ond mae hefyd yn faes technegol sy'n gofyn am ddealltwriaeth o fathemateg ac, yn arbennig, o fathemateg tebygolrwydd. Y gamp yw asio'r gwerthoedd cymdeithasol wrth ddatblygiad technegau mathemategol priodol.

Cymry dawnus, wedi'u tanio gan eu gofal dros eu cyd-ddynion ac wedi'u harwain gan eu dealltwriaeth ddofn o fathemateg tebygolrwydd, a lwyddodd i ddatblygu yswiriant fel gwyddor, a hynny bellach yn sail i gymaint o agweddau ar ein bywydau yn yr oes fodern hon.

∽)C∼

Gofynion masnach a diwydiant yng nghyfnod Brenhines Elisabeth I a roddodd gychwyn i'r syniad o yswiriant, wrth gynnig yswiriant ar longau. Ganrif yn ddiweddarach, yn sgil y Tân Mawr yn 1666 a ddinistriodd rannau helaeth o Lundain, y dechreuodd masnachwyr gynnig yswiriant rhag tân. O dipyn i beth, dechreuwyd hefyd gynnig yswiriant bywyd.

Cyntefig iawn oedd dulliau'r masnachwyr cynnar hyn o wneud eu symiau ac, yn amlach na pheidio, nid oeddynt yn cymryd ystyriaeth o ffactorau allweddol wrth bennu'r premiwm. Er enghraifft, yr un fyddai'r premiwm ar gyfer yswirio hen long ag yswirio llong newydd sbon. Wrth werthu yswiriant bywyd, yr un fyddai'r premiwm i berson ifanc ag i hen berson, heb ystyried nad oedd yr hen berson yn debygol o fyw yn hir o'i gymharu â pherson ifanc. Roedd pawb yn talu'r un premiwm waeth beth oedd eu hamgylchiadau. O ganlyniad roedd yn gyffredin i'r cwmnïau cyntaf fethu â chasglu digon o daliadau ac iddynt fynd i'r wal gan adael eu cwsmeriaid yn waglaw.

Ond ganol y 18fed ganrif dechreuwyd sefydlu trefn, lle gynt bu anhrefn, a hynny'n bennaf trwy waith y Cymry Richard Price (1723–1791) a'i nai, William Morgan (1750–1833), y ddau o ardal Pen-y-bont ar Ogwr. Gosodwyd yr egwyddorion gan Price, datblygwyd y technegau ymhellach gan Morgan, a sefydlwyd cwmnïau yswiriant cadarn a dibynadwy. Mae egwyddorion Price a thechnegau Morgan yn parhau'n sail i'r diwydiant yswiriant byd-eang, diwydiant sy'n rhan mor hanfodol o wead y gymdeithas fodern.

Pos tebygolrwydd

Rydych yn taflu dau ddis cyffredin ac yn lluosi'r ddau rif. Beth yw'r siawns y bydd eich ateb yn odrif?

Ym marn yr hanesydd John Davies, Richard Price oedd y meddyliwr mwyaf gwreiddiol a fagodd Cymru erioed. Fe'i cofir yn bennaf fel amddiffynnydd rhyddid, ond gwnaeth gyfraniadau tra phwysig hefyd mewn moeseg, mewn diwinyddiaeth ac mewn ystadegaeth; cyfuniad anarferol o feysydd ar un olwg.

Ganed Richard ar fferm Tyn-ton, Llangeinwyr (Cwm Garw), ger Pen-y-bont ar Ogwr. Ei dad oedd Rice Price, gweinidog gyda'r Methodistiaid Calfinaidd. Trefnwyd i Richard, a oedd yn dangos dawn anarferol o oed ifanc iawn, fynd i ysgol leol ym Mhen-y-bont i gychwyn, yna am gyfnod byr i ysgol yn sir Gaerfyrddin, ac ymlaen i academi Vavasor Griffiths yn Chancefield, ger Talgarth, sir Frycheiniog. Mae sôn y gallai fod yn yr un dosbarth yno â Williams Pantycelyn.

Doedd Richard, o oed ifanc iawn, ddim yn gyfforddus â daliadau'r Calfiniaid, yn arbennig y pwyslais ar yr angen i'r unigolyn ymddiried mewn bod goruwchnaturiol yn hytrach na dibynnu ar ei reswm ei hun. Darllenodd weithiau diwinyddol yn eang ac fe'i denwyd yn arbennig at syniadau mudiad yr Ariaid a oedd yn llawer mwy rhyddfrydol, a'u cred yn agos at Undodiaeth. Dywedir fod ei dad wedi gwylltio un diwrnod wrth ddal Richard yn darllen un o'r llyfrau hyn yn y tŷ a'i fod wedi taflu'r llyfr i'r tân ar ei union. Poenai'r tad hefyd am y dylanwadau rhyddfrydol posibl ar Richard yn yr ysgolion a fynychodd.

Yn 17 oed, yn dilyn marwolaeth ei ddau riant, aeth Richard i academi Tenter Alley, ger y Barbican modern yn Llundain, ac yno yr astudiodd dan John Eames, gŵr rhyddfrydol ei ddaliadau a geisiai annog ei fyfyrwyr i feddwl drostynt eu hunain. Roedd maes llafur yr academi yn cynnwys diwinyddiaeth, y Clasuron, mathemateg, anatomeg ac athroniaeth. Cafodd Richard flas arbennig ar ddefnyddio mathemateg i ddatrys problemau ymarferol mewn mecaneg, ystadegaeth, hydrostateg ac opteg, â rhai o'r darlithoedd ar y pynciau hyn mewn Lladin.

Wedi gadael yr academi parhaodd Richard Price i ddatblygu ei syniadau am ryddid yr unigolyn o fewn fframwaith Cristnogol, a chafodd amser i gyhoeddi a lledaenu ei syniadau ym meysydd moeseg a diwinyddiaeth yn gyffredinol, gan eu cymhwyso i'r byd gwleidyddol. Erbyn 1758 fe'i penodwyd yn bregethwr gyda'r Undodwyr yng nghapel Newington Green, Llundain, cyfrifoldeb a ysgwyddodd am weddill ei oes. Cadwodd gysylltiad â Chymru, yn arbennig â'r teulu yn Llangeinwyr, gan ofalu'n arbennig am les ei chwiorydd. Fe'i hystyrir ymysg arwyr y mudiad Undodaidd yng Nghymru y gwelir ei ddylanwad yn arbennig yn ne-orllewin Cymru (ardal y Smotyn Du). Llundain oedd ei brif ganolfan, fodd bynnag, a dim ond yn gymharol ddiweddar y mae pwysigrwydd ei waith wedi dechrau cael sylw haeddiannol yng Nghymru.

Cefnogodd Price ymgyrch America am annibyniaeth yn 1776 a dyfarnwyd iddo ddoethuriaeth er anrhydedd gan Brifysgol Yale yn 1781, ochr yn ochr â George Washington. Cefnogodd hefyd y syniadau a arweiniodd yn y pen draw at y Chwyldro Ffrengig ddiwedd y 18fed ganrif – roedd yn uniaethu â'r ddelfryd o *liberté, egalité, fraternité*, er nad â'r dulliau treisgar o sicrhau hynny. Dadleuir mai Price a sefydlodd yr egwyddorion sydd wrth galon democratiaeth ryddfrydol gwledydd y gorllewin heddiw.

Ar ben hyn i gyd a thra wrth ei waith fel pregethwr yn Newington Green defnyddiodd Price ei gefndir mewn mathemateg i sefydlu egwyddorion yswiriant. Ef oedd tad y diwydiant yswiriant a flodeuodd yn ystod y 18fed ganrif wrth i nifer o gwmnïau fentro i faes yswiriant yn gyffredinol, ac yswiriant bywyd yn benodol. Roedd yn hael iawn ei gyngor a'i gymorth i'r cwmnïau newydd hyn. Elwodd yr Equitable Life Assurance Society, a sefydlwyd yn 1762, ar ei gyngor. Hwn oedd y cwmni cyntaf i sicrhau bod taliadau i gynlluniau yswiriant bywyd yn amrywio yn ôl oed y sawl a oedd yn cael ei yswirio, polisi a fabwysiadodd yn dilyn cyngor Price.

Price oedd y cyntaf mewn llinach anrhydeddus o ddiwygwyr cymdeithasol a gwleidyddol Cymreig – llinach sy'n cynnwys y sosialydd Robert Owen yn y 19eg ganrif hyd at Lloyd George (y pensiwn gwladol), Aneurin Bevan (y gwasanaeth iechyd cenedlaethol) a Jim Griffiths (yswiriant cenedlaethol) yn yr 20fed ganrif.

Dywedir am Richard Price y byddai'r gweithwyr yn ardal Covent Garden yn agor o'i flaen wrth iddo yrru drwyddynt ar gefn ei geffyl: 'Make way for the good Dr Price!' fyddai'r gri. Mae'r hanesyn yn dweud llawer am y parch a ddenai ymysg y bobl gyffredin.

Roedd William Morgan (1750–1833) yn fab i Sally Price, chwaer Richard Price, ei dad yn feddyg ym Mhen-y-bont ar Ogwr. Derbyniodd William ei addysg gynnar yn y dref, gan fynd ymlaen i ysgol ramadeg y Bont-faen. Penderfynodd astudio meddygaeth, gyda'i dad yn gyntaf, ac yna yn Llundain, cyn dychwelyd i Ben-y-bont ar Ogwr yn 1772 i gymryd practis ei dad wedi i hwnnw farw'n gymharol ifanc. Er i Morgan fod yn gwbl gymwys fel meddyg, nid oedd yn plesio'r cleifion. Roedd ganddo droed gam o'i enedigaeth a'r cyflwr hwnnw'n hau hedyn o amheuaeth a diffyg hyder ynddo ymysg trigolion y dref, yn arbennig gan fod meddyg arall mwy 'deniadol' yn yr ardal.

O ganlyniad, bu angen i Morgan ddilyn llwybr gyrfa hollol wahanol, ac roedd yn naturiol iddo holi cyngor ei ewythr a oedd, wrth gwrs, wedi cynghori'r Equitable wrth i'r cwmni hwnnw gychwyn yn Llundain. Sicrhawyd lle i Morgan weithio fel actiwari yn y cwmni. Doedd ganddo ddim cymwysterau ar gyfer y swydd ond dangosodd barodrwydd i dderbyn y sialens, gan fanteisio ar wersi gan ei ewythr, a oedd, yn ôl yr hanes, wedi'i holi, 'Billy, wyt ti'n gwybod rhywbeth am fathemateg?', ac i William ateb, 'Na, ond dwi'n barod i ddysgu.' Cyfweliad byr ar y naw!

Dangosodd Morgan ei allu a'i ymroddiad yn gyflym iawn, ac ef oedd prif actiwari swyddfa'r Equitable o 1774 hyd at 1830, cyfnod anhygoel o 56 o flynyddoedd. Roedd yn 80 oed yn ymddeol, a dywedir ei fod wedi derbyn pensiwn o ddwy fil o bunnoedd y flwyddyn gan y cwmni. Roedd hynny'n swm uchel iawn, a fyddai'n cyfateb i ryw £200,000 y flwyddyn heddiw. Bu farw Morgan dair blynedd ar ôl ymddeol. Tybed a oedd wedi talu mwy i mewn i'w gynllun pensiwn dros y 56 blwyddyn nag a gafodd yn ôl dros y tair blynedd hynny?

Erbyn heddiw mae angen hyfforddiant hir ar ymgeiswyr sydd â'u bryd ar fod yn actiwari, gan gynnwys gradd dda a llwyddo mewn arholiadau ychwanegol er mwyn bodloni gofynion y proffesiwn. Un rhan o waith actiwari mewn cwmni yswiriant yw defnyddio mathemateg soffistigedig i sicrhau bod y cwmni'n codi taliadau priodol ar ei gwsmeriadau, gan bwyso a mesur y risg i'r cwmni. Nid ar chwarae bach y mae gwneud hynny. Ystyrir Morgan yn 'dad y proffesiwn', yr un, yn anad neb arall, a ddangosodd sut i ddefnyddio mathemateg yn deg er budd y cwmni a'i gwsmweriaid fel ei gilydd. Mae'n arwyddocaol i dri o feibion William Morgan ei ddilyn yn yr Equitable ac y bu un ohonynt, Arthur, yn y swydd honno am 40 mlynedd. Etholwyd Arthur Morgan yn FRS ar sail dadansoddiad ganddo o ystadegau marwolaeth.

Sut ddenwyd Richard Price i ymddiddori mewn mathemateg pensiynau yn y lle cyntaf? Rhaid mynd yn ôl i'w gyfnod yn academi Tenter Alley i chwilio am ateb, oherwydd un arall a gafodd fanteision addysg yn yr academi dan Eames oedd Thomas Bayes (1701–1761). Er bod Bayes rhyw 20 mlynedd yn hŷn na Price, roedd y ddau yn adnabod ei gilydd, mae'n debyg trwy eu cyn-athro. Yn weinidog gyda'r Presbyteriaid yn Tunbridge Wells, roedd Bayes hefyd yn treulio llawer o'i amser rhydd yn mathematega. Ychydig a gyhoeddodd yn ystod ei fywyd – gwaith ar ddiwinyddiaeth ynghyd â nodiadau'n cefnogi syniadau Isaac Newton am y calcwlws – ond roedd wedi ymddiddori yn syniadau newydd y cyfnod am debygolrwydd ac wedi mynd ati i wella ei feistrolaeth o'r maes. O ganlyniad, pan fu farw Bayes yn 1761 darganfu ei deulu bentyrrau o bapurau yn ei stydi, ond roedd y cyfan yn gwbl anealladwy iddynt.

Cysylltodd y teulu â Price gan ei wahodd i bori trwy'r papurau. Roedd Price yn barod iawn i gyflawni'r gymwynas ac, yn y broses, trawodd ar draethawd am debygolrwydd gan Bayes a sylweddoli yn syth fod ganddo bwysigrwydd ymarferol. Aeth Price ati i dwtio a golygu'r traethawd gyda golwg ar ei gyhoeddi. Rhwng ei gyfrifoldebau eraill, a chyfnod o salwch a'i lloriodd am beth amser, aeth dwy flynedd heibio cyn iddo anfon y traethawd at sylw cyfaill iddo oedd yn aelod o'r Gymdeithas Frenhinol ac i'r traethawd gael ei ddarllen o flaen aelodau'r gymdeithas honno ar 23 Rhagfyr 1763.

Mae'n debyg fod Price wedi addasu gwaith Bayes gryn dipyn fel rhan o'r gwaith golygu er mwyn tynnu sylw at bwysigrwydd darganfyddiadau ei gyfaill. Erbyn 1765 roedd Price wedi mynd ati i gyhoeddi gwaith dan ei enw ei hun yn adeiladu ymhellach ar syniadau Bayes ac, ym mis Rhagfyr y flwyddyn honno, fe'i hetholwyd yn FRS ar sail ei sgiliau arbennig mewn mathemateg ac athroniaeth.

Gwraidd syniad Bayes oedd gweld sut yr oedd modd cyfrifo'r tebygolrwydd y byddai rhywbeth penodol yn digwydd yn y dyfodol yn seiliedig ar ba mor aml yr oedd wedi digwydd yn y gorffennol. Athrylith Price oedd gweld sut y gellid cymhwyso gweledigaeth Bayes i faes yswiriant a'r ffordd y gallai hynny effeithio ar fywydau pobl gyffredin. Erbyn heddiw mae'r dechneg hon yn effeithio ar fywydau pob un ohonom mewn amryw ffyrdd – wrth i feteorolegwyr ddarogan y tywydd, wrth i ymchwilwyr meddygol ddatblygu triniaethau newydd, wrth i gwmnïau fel Google ffiltro negeseuon sbam ac ati. Y dechneg hon yw'r cefndir anweledig i'n bywyd modern. Ond yn y 18fed ganrif y ffocws oedd ar fusnes cynyddol yswiriant a chamau cyntaf actiwariaeth.

Crisialwyd gwaith Bayes mewn un hafaliad (a welir ar ben y bennod hon) a enwyd yn wreiddiol fel Theorem (neu Reol) Bayes. Erbyn heddiw, dadleuir y dylid cyfeirio ato fel Theorem Bayes-Price i gydnabod mai Richard Price oedd y cyntaf i sylweddoli ei bwysigrwydd, ac mai ef a aeth ati i'w dwtio a'i olygu, a gweld sut i'w gymhwyso.

Am y tro cyntaf yn hanes yswiriant bywyd, roedd yn bosibl i gyfrifo disgwyliad oes, sef y cyfnod ar gyfartaledd y gall person ddisgwyl byw, ac i ddefnyddio hynny fel sail ar gyfer cyfrifo cost polisïau yswiriant. O ganlyniad, roedd galw mawr gan gwmnïau yswiriant am gyngor Price wrth i fusnes yswiriant dyfu a datblygu. Er bod ganddo lu o ddyletswyddau eraill i'w cyflawni, gan gynnwys fel pregethwr, roedd yn hael iawn ei gyngor, gan dreulio oriau lawer yn dadansoddi ystadegau, yn aml ar draul ei iechyd ei hun. Yn y cyfnod hwn y datblygodd Price berthynas agos â'r Equitable Life Assurance Society, gan gynghori'r cwmni dros gyfnod o 15 mlynedd, y cyfan yn gwbl ddi-dâl. Fe'i hysgogwyd i fod yn hael o ran ei amser gan yr ymdeimlad ei fod yn ddyletswydd arno i weithredu'n egwyddorol er lles cymdeithas a'i gyd-ddyn.

Mae teitl llyfr Price ar flwydd-daliadau (*annuities*), a gyhoeddwyd yn 1771, yn crisialu ehangder ei ddylanwad: *Observations on Reversionary Payments; on Schemes for providing Annuities for Widows, and for persons in Old Age; on the method of calculating the values of assurances on lives; and on the National Debt.* Roedd, felly, nid yn unig yn cynghori cwmnïau yswiriant wrth i'r maes hwnnw dyfu ac ehangu (ac roedd yn boen iddo fod cynifer o'r mentrau newydd yn anwybyddu ei gyngor ac yn sicr o fethu fel busnesau), ond roedd hefyd yn cynghori'r llywodraeth yn Llundain, er nad oedd y senedd yno yn gwbl effro i fanteision ei argymhellion.

Erbyn blwyddyn ei farwolaeth yn 1791 roedd yn gweithio ar bumed argraffiad ei lyfr. Cwblhawyd y gwaith hwnnw gan ei nai, William Morgan, a aeth ymlaen i gyhoeddi chweched argraffiad yn 1802 a seithfed argraffiad yn 1812.

Parhaodd Price i gynnal ei ddiddordeb a'i ddylanwad ym maes yswiriant hyd y diwedd. Roedd wedi sefydlu egwyddorion yswiriant ac actiwariaeth ac wedi rhoi'r egwyddorion ar waith er lles ei gyd-ddyn. Roedd hefyd wedi dangos sut i sicrhau llwyddiant yswiriant fel busnes ymarferol. Camp a braint Morgan oedd cael parhau â gwaith ei ewythr, wrth osod y sylfeini ar gyfer y diwydiant modern sy'n rhan mor hanfodol o'n bywydau heddiw.

Yn angladd Richard Price, crisialwyd effaith ei waith ar fywydau pobl gyffredin, yn arbennig gweddwon, yng ngeiriau Andrew Kippis, gweinidog gyda'r Presbyteriaid yn Westminster, Llundain: 'Bydded i fendithion ddisgyn arno gan y rhai a fyddent wedi marw fel arall; rhoddodd achos i galon ambell wraig weddw, nad oedd yn ei adnabod, i ganu mewn llawenydd.'

Dau gan mlynedd yn ddiweddarach, byddai nain yn sicr wedi amenio hynny.

5UCHELGAER UWCH Y WEILGI

Dafydd Wyn o Eifion

Y Groeslon, Arfon, Gwynedd

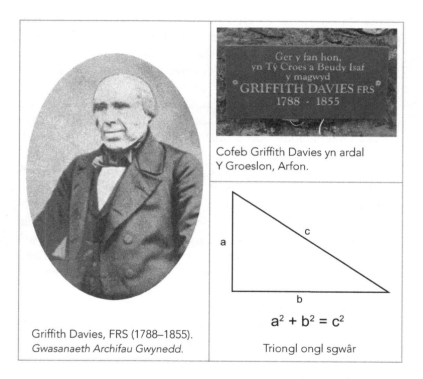

Cofeb Griffith Davies yn ardal
Y Groeslon, Arfon.

$$a^2 + b^2 = c^2$$

Triongl ongl sgwâr

Griffith Davies, FRS (1788–1855).
Gwasanaeth Archifau Gwynedd.

Chwarelwr o Arfon na chafodd goleg, na fawr o ysgol, oedd Griffith Davies (1788–1855) ond gwnaeth ei farc wrth ddefnyddio mathemateg i ateb anghenion ymarferol pobl gyffredin y cyfnod Fictoraidd. Nid ar chwarae bach y llwyddodd

Griffith Davies i gael ei ethol yn FRS, ac mae pobl Arfon yn dangos eu hedmygedd hyd heddiw i'r chwarelwr a'r arwr lleol wrth gyfeirio ato'n barchus fel 'Griffith Davies, FRS'.

Daeth y parch hwn yn glir iawn i mi wrth ymweld â Chanolfan Hanes Uwchgwyrfai yn hen ysgoldy Eben Fardd ym mhentref Clynnog Fawr yn Arfon. Roeddwn yno ar wahoddiad Cyfeillion Eban, grŵp o bobl ddiwylliedig sy'n cyfarfod i drafod llyfrau, hen a newydd. Y llyfr dan sylw y noson honno oedd *Mae Pawb yn Cyfrif* ac, fel awdur y llyfr hwnnw, roedd gofyn imi ymateb i sylwadau a chwestiynau amdano. Peth braf iawn yw derbyn adborth gan bobl sydd eisoes wedi darllen eich gwaith ac yn barod i roi barn arno. Ond a oedd y grŵp hwn am fod yn gwbl agored eu barn ym mhresenoldeb yr awdur? A fyddent yn rhy swil neu yn rhy gwrtais i ddweud y gwir, a dim ond y gwir? Neu, ac yn waeth, a oeddynt yn barod i'm llarpio, a minnau'n Ddaniel yn ffau'r llewod?

Doedd dim achos poeni: roedd y drafodaeth yn hyfryd o agored a'r feirniadaeth yn adeiladol. Ond daliais fy ngwynt wrth glywed Geraint Jones, un o hoelion wyth y ganolfan, yn dweud bod ganddo gŵyn. Pam, gofynnodd, ryw fymryn yn heriol, oedd y llyfr yn anwybyddu cyfraniad un o fawrion mathemateg y wlad? Roedd ynddo ddigon o ganmol ar rai fel Robert Recorde o sir Benfro a William Jones o Fôn, ond dim gair o gwbl am Griffith Davies, FRS, o Arfon. A oeddwn i wedi clywed am y dyn arbennig hwnnw? Ac yn gwybod am ei gysylltiadau ag ardal Clynnog Fawr? Yn yr ennyd o ddistawrwydd disgwylgar a ddilynodd, roeddwn yn rhyw synhwyro gweddill y grŵp yn plygu ymlaen i wrando'n astud ar fy ymateb.

Ond daeth achubiaeth, oherwydd gallwn dystio'n gwbl agored fy mod yn gwybod yn iawn am Griffith Davies a'i gampau, yn arbennig ym maes yswiriant, ond nad oedd ei gyfraniad yn ffitio'n dwt i thema *Mae Pawb yn Cyfrif*. Roeddwn yn gobeithio, ychwanegais, y deuai gyfle imi roi sylw teilwng i'w waith mewn llyfr arall. Gyda hynny o ymddiheuriad, llwyddais i ddianc yn ddiogel, ond dysgais wers, sef y pwysigrwydd o gyfeirio at Griffith Davies fel 'Griffith Davies, FRS' – yn arbennig yn Arfon.

Dyfarnwyd FRS i Davies yn 1831, a hynny'n bennaf oherwydd ei waith fel actiwari ym maes yswiriant, gwaith a adeiladodd ar y sylfeini a osodwyd gan Richard Price a'i nai, William Morgan, fel y'u disgrifiwyd ym Mhennod 4. Erbyn 1831 roedd Davies wedi sefydlu ei hun yn Llundain yn ŵr parchus a dylanwadol, yn arbennig ym maes yswiriant.

Ysbrydolwyd gwaith Davies gan ei awydd i ddefnyddio mathemateg er lles ei gyd-ddyn. Hynny a'i harweiniodd i arbenigo mewn gwaith yswiriant ac i drin rhifau mewn ffordd sy'n gosod sylfaen ar gyfer yswiriant fel busnes. Arweiniodd y gwaith hwnnw at gydnabod arbenigedd gwaith actiwari, gwaith sydd mor hanfodol bwysig i yswiriant fel proffesiwn ag yw gwaith meddyg a llawfeddyg i feddygaeth. Ond cyn iddo fentro i waith yswiriant roedd Davies hefyd wedi gwneud ei farc mewn meysydd eraill ac, er nad mor bellgyrhaeddol â'i waith mewn yswiriant, mae ei waith yno hefyd yn haeddu sylw. Cyn symud ymlaen at ychydig o'i hanes, rhaid egluro ryw ychydig ar gangen arall o fathemateg a ddenodd ei sylw.

Uchelgais Mrs Thomas oedd ennill gradd mewn mathemateg. Chafodd hi fawr o addysg ffurfiol ar ôl gadael ysgol a phrin oedd y cyfleodd bryd hynny iddi fynd ymlaen i goleg na phrifysgol. A hithau'n wraig weddw dros ei 80 oed, symudodd Mrs Thomas i fyw i bentref Borth-y-gest ger Porthmadog. Yno gwelodd gyfle i ailafael yn ei mathemateg, un o'i hoff bynciau ysgol, ac roedd yn awyddus i wneud hynny o ddifrif. Doedd dim amdani ond i gofrestru â'r Brifysgol Agored ac astudio unedau cwrs mathemateg y brifysgol honno.

Ond sut mae rhywun nad yw wedi astudio mathemateg o'r blaen yn ymdopi â phwnc a all fod yn ddigon anodd ar brydiau? Roedd Mrs Thomas wedi cael cryn flas ar geometreg yn yr ysgol ac wedi rhyfeddu ar theorem Pythagoras – un o uchafbwyntiau mathemateg oes glasurol y Groegiaid a sail un o hafaliadau enwocaf geometreg. Cysylltir y theorem â'r Groegwr Pythagoras o'r cyfnod *c.*570–*c.*495 CC. Roedd Mrs Thomas wedi gwirioni'n arbennig ar ddefnyddio theorem Pythagoras wrth astudio trionglau ongl sgwâr, fel y triongl hwn y mae hyd ei ochrau yn 3cm, 4cm a 5cm:

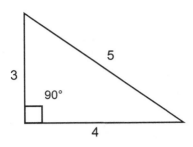

Triongl 3, 4, 5.

Mae yna berthynas arbennig rhwng hyd ochrau'r triongl hwn. Daw'r berthynas yn fwy amlwg wrth inni sgwario pob un o'r tri rhif:

Sgwâr y rhif 3 yw 3×3, sef 9
Sgwâr y rhif 4 yw 4×4, sef 16
Sgwâr y rhif 5 yw 5×5, sef 25

Sylwn mai 25 yw cyfanswm 9 ac 16: sgwâr ochr hiraf y triongl yw cyfanswm sgwariau'r ddwy ochr arall, 25 = 9 + 16. Camp Pythagoras dros ddwy fil o flynyddoedd yn ôl oedd profi bod patrwm fel hwn yn wir am bob triongl ongl sgwâr, nid y triongl 3, 4, 5 yn unig.

Roedd Mrs Thomas wedi ei swyno gan y defnydd o algebra yn theorem Pythagoras – bod yna hafaliad sy'n cysylltu hyd tair ochr triongl ongl sgwâr – ac roedd wedi dechrau gweld nad oedd algebra a geometreg yn ddau beth gwbl ar wahân ond eu bod yn cydblethu.

Ond roedd uned gyntaf ei chwrs mathemateg yn y Brifysgol Agored yn mynd gam ymhellach wrth drafod trionglau ac yn cyflwyno geiriau a syniadau newydd nad oedd Mrs Thomas wedi'u gweld o'r blaen – rhai y byddai wedi dod ar eu traws pe byddai hi wedi astudio mathemateg ymhellach yn yr ysgol. Cyflwynwyd y cyfan o dan y pennawd 'trigonometreg' (*trigonometry*), term newydd iddi. Roedd hi'n benderfynol o ddeall y cam newydd hwn ond roedd bwrw trwy'r wal o symbolau yn ormod iddi. Doedd dim amdani ond codi'r ffôn at brif swyddfa'r Brifysgol Agored i ofyn am gymorth.

Roeddwn yn gwneud ychydig o waith i'r Brifysgol Agored ar y pryd a gofynnwyd imi alw i weld Mrs Thomas yn ei thŷ. Ac yno, ym Mhorth-y-gest, yn edrych allan dros aber Afon Glaslyn, cawsom sgwrs ddifyr dros baneidiau o de, gan geisio dod i'r afael â'r syniadau newydd a thaflu ychydig o oleuni arnynt. Ond i wneud hynny roedd angen yn gyntaf imi ddeall beth oedd ei phroblem.

Mae'r geiriadur yn diffinio'r gair 'trigonometreg' fel 'cangen o fathemateg yn ymwneud ag astudio'r berthynas rhwng hyd ochrau triongl a maint ei onglau'. Mae theorem Pythagoras yn sylfaenol i hynny, gan sefydlu perthynas rhwng hyd ochrau triongl os yw'r triongl hwnnw yn cynnwys ongl sgwâr. Mae trigonometreg yn mynd gam ymhellach gan ddatblygu theorem Pythagoras i'n galluogi i ddeall geometreg unrhyw driongl, nid yn unig rhai sy'n cynnwys ongl sgwâr.

Roedd y cam pellach hwn yn achosi anhawster i Mrs Thomas. Roedd hi'n gyfforddus â theorem Pythagoras gan ei bod hi eisoes wedi dod ar ei thraws yn yr ysgol, ond roedd y syniadau pellach yn dipyn o sialens. Cawsom gyfle i drafod hyn am gryn amser a minnau'n cynnig nifer o ffyrdd gwahanol o fynd ati. Pe byddai Mrs Thomas wedi mentro i'r maes hwn yn yr ysgol, mae'n debyg y byddai wedi derbyn y syniadau newydd hyn yn ddi-gwestiwn, ond, a hithau dros 80 oed, doedd hi ddim yn fodlon derbyn pethau heb iddynt gael eu hegluro'n llawn. Chwarae teg iddi. Erbyn inni orffen ein sgwrs roedd hi wedi dod i ddeall y syniadau'n ddyfnach ac roeddwn i wedi dod i sylweddoli fy mod wedi cymryd rhai pethau'n ganiataol cyn hynny. Roedd Mrs Thomas yn llygad ei lle i herio ac i chwilio am eglurhad. Roedd hi'n mynnu *deall pam* ac yn anhapus i fodloni ar *wybod sut*. O ganlyniad, elwodd y ddau ohonom ar y profiad.

Roedd Griffith Davies yn bencampwr ar drigonometreg, ond chafodd o fawr o ysgol ac, fel Mrs Thomas, ni fu'n agos at unrhyw goleg na phrifysgol. Un o gampau Davies oedd sylweddoli bod trigonometreg yn faes ymarferol a oedd yn defnyddio grym algebra i ddatrys problemau mewn geometreg. Daeth cyfle iddo wneud hynny wrth ddadansoddi Pont y Borth, un o ryfeddodau pensaernïol a pheirianyddol enwocaf Cymru, a gysylltir yn bennaf â'r peiriannydd Thomas Telford (1757–1834).

Pont y Borth. *Llun gan Warren Kovach (Treftadaeth y Fenai).*

Sut lwyddodd Davies i ddefnyddio mathemateg i gamu ymlaen o fod yn chwarelwr ifanc yn Arfon i fod yn ŵr uchel ei barch fel arbenigwr ar bontydd crog, yn actiwari mewn gwaith, yn awdur llyfrau ac yn gymwynaswr a enillodd gryn barch yn ei ardal enedigol?

Ganed Gruffydd Dafydd (a rhoi ei enw bedydd iddo) yn fab i dyddynwyr yn ardal pentref Y Groeslon yng ngogledd Arfon. Cafodd fawr o ysgol yn ystod ei flynyddoedd cynnar a dechreuodd weithio fel chwarelwr pan oedd yn 14 oed a straeon amdano hyd yn oed bryd hynny yn dangos ei allu arbennig i drin rhifau wrth wneud syms yn gyflym ar lechi'r chwarel. Erbyn iddo gyrraedd 17 oed roedd wedi hel ychydig o arian wrth gefn, digon iddo fynd i ysgol Evan Richardson yng Nghaernarfon am ddau dymor yn unig cyn iddo orfod troi'n ôl am y chwarel. Yn 20 oed penderfynodd fentro i Lundain, er nad oedd ganddo unrhyw gysylltiadau yno. Hwyliodd i Lundain ar long, yr holl ffordd o Gaernarfon, gan nad oedd ganddo ddigon o arian i dalu i fynd ar y goets fawr. Wedi cyrraedd Llundain, roedd yn galed arno am rai blynyddoedd wrth iddo grafu byw a mynychu ambell ysgol o dro i dro. Erbyn iddo gyrraedd 23 oed roedd wedi sefydlu ysgol ei hunan – *Mathematical Academy* – yn Lizard Street, dwyrain Llundain, gan gynnig gwersi yno mewn mathemateg i blant ac i oedolion:

G. Davies embraces the present opportunity to inform his Friends and the Public, that he continues to instruct youth at his Academy, 8, Lizard Street, in the different branches of Commercial and Mathematical education.

Grown persons desirous of Private Tuition in Geometry, Algebra, Trigonometry, Conic Sections, Mechanics, Fluxions, Mensuration, Navigation, or the Rudiments of Astronomy and Natural Philosophy, are taught at different hours in separate Apartments.

Hysbyseb gan Griffith Davies yn tynnu sylw at waith ei *Mathematical Academy*. Adran Archifau a Llawysgrifau, Prifysgol Bangor.

Yn 1814, yn 26 oed, cyhoeddodd Davies lyfr ar drigonometreg, *A Key to Bonnycastle's Trigonometry*, llyfr sy'n dangos ei feistrolaeth ar y pwnc hwnnw a'i allu i ddefnyddio trigonometreg i ddatrys problemau ymarferol.

Roedd llawer o ddisgyblion yr *Academy* yn awyddus i ddysgu sut i gadw cyfrifon, gymaint oedd twf busnesau newydd yn Llundain yn ystod y cyfnod. Gwelodd Davies gyfle hefyd iddo hybu twf y busnes yswiriant ac aeth ati i feistroli sut i ddefnyddio mathemateg i osod sail gadarn ar gyfer y busnes hwnnw. Roedd ei gyd-Gymry, Richard Price a William Morgan (gweler Pennod 4), wedi paratoi'r ffordd ac wedi sefydlu egwyddorion yswiriant. Er mwyn sefydlu ei hun fel actiwari, trôdd Davies at Morgan, prif actiwari Prydain ar y pryd, gan ofyn iddo osod arholiad ar ei gyfer. Cytunodd Morgan i wneud hynny: llwyddodd Davies yn yr arholiad a derbyniodd 'Certificate of Competency' i gydnabod ei gamp.

Enillodd Davies enw da i'w hun yn gyflym iawn gan ddenu cwsmeriaid o bell ac agos, yn Llundain a thramor. Fe'i cyflogwyd gan gwmni Guardian Assurance i roi cyngor i'r cwmni hwnnw, cyn cael ei benodi i swydd lawn fel prif actiwari'r cwmni, swydd oedd yn ei gynnal am 32 o flynyddoedd. Davies, yn fwy na neb, oedd yn gyfrifol am sicrhau llwyddiant y cwmni a ddatblygodd ymhen blynyddoedd dan yr enw Guardian Royal Exchange Assurance, ac sydd bellach yn rhan o gwmni yswiriant rhyngwladol AXA. Yn ehangach na hynny, rhoddodd Davies waith actiwari ar seiliau cadarn fel proffesiwn.

Cadwodd Griffith Davies gysylltiadau agos â'i wreiddiau yn Arfon. Gwerthfawrogai ei fagwraeth yn y traddodiad Anghydffurfiol, a chyfrannodd yn helaeth at waith y capeli Cymraeg yn Llundain. Y cefndir hwnnw oedd sylfaen ei werthoedd a'i egwyddorion. Cefnogodd nifer o achosion ym mro ei febyd, gan gynnwys llwyddo yn ei wrthwynebiad i'r Bil Seneddol i gau tiroedd comin Llandwrog a Llanwnda. Ymddiddorai hefyd yn y fenter fawr gan Thomas Telford i godi Pont y Borth yn 1826. Y stori yn lleol ydy mai Davies oedd yn gyfrifol am gywiro mathemateg Telford ac am achub y bont rhag disgyn. Mae'r stori honno'n rhan o chwedloniaeth hanes y bont. Mae eraill yn amau a yw'r stori'n wir, mewn gwirionedd. Beth yw'r dystiolaeth?

Roedd Telford yn cynnal arbrofion ymarferol er mwyn rhoi prawf ar ei gynlluniau ac yn pwyso'n drwm ar ganlyniadau'r arbrofion hynny. Roedd yn anghyfforddus iawn â dadansoddiadau mathemategol gan mai gwan iawn oedd gallu Telford mewn mathemateg a gwan oedd ei ddealltwriaeth o fathemateg cynnal pontydd. Oherwydd hynny trôdd Telford am gyngor gan y mathemategydd Davies Gilbert, llywydd y Gymdeithas Frenhinol yn ddiweddarach. Roedd Gilbert wedi rhybuddio Telford nad oedd tyrrau'r bont yn y cynlluniau gwreiddiol yn ddigon uchel i gynnal y straen, a newidiwyd y cynlluniau oherwydd hynny. Ond a oedd rhybudd Gilbert yn seiliedig ar ei ddadansoddiad ei hun neu a oedd wedi manteisio ar ddadansoddiad Davies?

Roedd Samuel Ware, pensaer llwyddiannus o Lundain, wedi cystadlu'n aflwyddiannus yn erbyn Telford am y gwaith o gynllunio Pont y Borth, ac roedd Ware wedi troi at Davies am gyngor, gan wybod am ei enw da fel mathemategydd. Roedd Gilbert wedi graddio mewn mathemateg o Rydychen ac wedi cael ei drwytho, oherwydd hynny, yn y technegau mathemategol diweddaraf.

Roedd Davies, ar y llaw arall, wedi addysgu ei hun, gan ddangos dawn arbennig i feistroli gwybodaeth newydd ac i feddwl yn ddadansoddol. Roedd hefyd wedi cyhoeddi llyfr ar drigonometreg, a defnyddiodd ei feistrolaeth o'r maes hwnnw i bwrpas wrth ddadansoddi geometreg y bont.

Roedd Ware yn ymwybodol o waith Gilbert a gellid disgwyl y byddai Gilbert hefyd yn gyfarwydd â llyfr Ware, *Tracts on Vaults and Bridges*, ac felly o waith mathemategol Davies. Nid oes tystiolaeth gadarn o'r cysylltiad hwnnw a chawn ond dyfalu beth oedd dylanwad gwaith Davies ar y cyngor a roddodd Gilbert i Telford a'i perswadiodd i newid ei gynlluniau ar gyfer y bont.

Ond y mae tystiolaeth bod gwybodaeth am gyfraniad a dylanwad posibl Davies wedi cyrraedd clustiau'r wasg Gymraeg. Mewn llythyr Cymraeg at *Y Gwyliedydd* yn 1832 mae Einion Môn yn ychwanegu troednodyn yn Saesneg (yn rhyfedd iawn) yn tynnu sylw at waith Davies yn dadansoddi siâp pontydd crog, sef y gromlin gatena sydd i'w gweld yn glir ar Bont y Borth, ac sy'n cael ei ffurfio wrth hongian tsiaen neu raff dan ei bwysau ei hun rhwng dau ben:

> It is perhaps known to but a few that Mr Davies was about a year ago elected…*Fellow of the Royal Society*, an honour which few of our countrymen can boast of. Still less is it known that he is the author of important solutions of the principles and properties of the *Catenaria*, a splendid effort of genius which has been of immense service in the erection of Suspension Bridges.

Cafodd gwaith Davies sylw ar lawr gwlad hefyd, yn arbennig ym mro ei febyd. Yn dilyn ei farwolaeth yn 1855 cyfansoddodd Robert Hughes, ei nai, gerdd o foliant iddo. Mae'r gerdd yn cynnwys y llinellau hyn, sydd wedi ychwanegu at y chwedloniaeth:

> Wedi i gynlluniau *Telford*
> Dd'rysu uwch y *Fenai* ddofn,
> Griffith Davies a ddangosodd
> Ei ddiffygion yn ddi-ofn.

Rhaid troi at sylwadau Thomas Barlow, nai arall i Davies, ef hefyd wedi gweithio yn y byd yswiriant yn Llundain ac a gofnododd fanylion am fywyd a gwaith ei ewythr. Mae'r cofnodion gwreiddiol hynny yn ddiogel yn archifdy Prifysgol Bangor, ac ynddynt mae Barlow yn ansicr ei farn ynghylch dylanwad Davies ar gynlluniau Telford. Ar ôl pwyso a mesur y cwestiwn, daw Barlow i'r casgliad mai gwell yw ei adael yn agored 'for others to determine as they please'. Pawb â'i farn, felly, ond mae'n edrych yn debygol na allwn honni mai Davies achubodd y bont, er iddo gyfrannu at y gwaith o ddadansoddi ei siâp.

Byddai Mrs Thomas, Borth-y-gest, wedi gwirioni ar waith Davies. A byddai hithau hefyd yn fwy na pharod i gyfeirio ato fel Griffith Davies, FRS.

Pos hwyliau

Mae hwyliau llong ar siâp dau driongl ongl sgwâr, un yn driongl 3m, 4m, 5m a'r llall yn driongl 5m, 12m, 13m. Sawl metr sgwâr o ddeunydd sydd ei angen i wneud yr hwyliau?

6 CAWR YMHLITH CORACHOD

Hafaliad Bernoulli

$$p + \tfrac{1}{2}\rho v^2 = k$$

p = pwysedd yr awyr
ρ = dwysedd yr awyr
v = cyflymder yr awyr

George Hartley Bryan (1864–1928).
Adran Archifau a Llawysgrifau,
Prifysgol Bangor.

R oedd George Hartley Bryan yn byw ym Mangor Uchaf heb fod ymhell o Adran Mathemateg Coleg Prifysgol Gogledd Cymru, adran y bu'n bennaeth arni ers yn fuan ar ôl ei benodi i'r coleg yn 1896. Un diwrnod, ac yntau'n ddi-briod ar y pryd, cafodd wahoddiad gan gyfaill i alw draw am ginio gyda'r

nos i'w dŷ ger Pont y Borth, rhyw filltir go dda o gartref Bryan.
Roedd hi'n ddiwedd pnawn braf a doedd Bryan fawr o amser yn
cerdded ar hyd glannau'r Fenai at y bont i gyrraedd y tŷ.
Erbyn iddynt orffen eu cinio a Bryan yn dechrau meddwl am ei throi hi
am adref roedd y tywydd wedi newid a hithau'n arllwys y glaw.
'Fedrwch chi fyth gerdded adre yn y tywydd mawr hwn', meddai
ei gyfaill. 'Ond mae croeso i chi aros yma dros nos.' Roedd Bryan
yn ddiolchgar iawn am y cynnig, a dangoswyd y llofft sbâr iddo.
Rhyw awr yn ddiweddarach roedd cyfaill Bryan wedi cael achos i
bigo i lawr i'r parlwr i chwilio am lyfr. Wrth edrych drwy'r ffenestr
sylwodd fod y glaw trwm yn parhau ond beth arall a welodd ond
Bryan, yn wlyb at ei groen, yn cerdded i fyny at y tŷ â'i byjamas
dan ei gesail. Oedd, roedd Bryan wedi pigo adref drwy'r glaw i nôl
ei byjamas!

Ai gwir yr hanesyn, ai chwedl? Does wybod i sicrwydd, ond
mae'n un o nifer o straeon sydd ar gof gwlad ym Mangor am y
mathemategydd rhyfeddol hwn a oedd yn wahanol iawn i bawb
arall. Fe'i gwelwyd un diwrnod yn cerdded ar hyd Stryd Fawr
Bangor yn dilyn lorri lo gan wneud symiau gyda darn o sialc ar
gefn y lorri. Dro arall roedd un o ddarlithwyr y coleg wedi'i weld
fel petai'n cerdded yn gam ar hyd y Stryd Fawr cyn sylweddoli
bod Bryan yn cerdded gyda'i droed dde ar y palmant, ei droed
chwith yn y gwter, a'i feddwl yn y cymylau.

Yn 1899 roedd Dr Thomas Richards (1878–1962), a
ddaeth ymhen blynyddoedd yn llyfrgellydd coleg Bangor, yn un
o nifer o fyfyrwyr oedd yn dilyn cwrs elfennol *matriculation* mewn
mathemateg dan arweiniad Bryan. Dyma'i ddisgrifiad o'i gyd-
fyfyrwyr ar y cwrs hwnnw:

O flaen yr Athro ar y dde yn y seddau blaen nifer o wŷr
bucheddol duaidd yr olwg, difrifdduwys, pregethwyr
ar brawf, a'u bryd sicr ar y *Matriculation* fel y cam
cyntaf ar lwybr gradd…gwan mewn Mathemateg,
ar y cyfan…Tu ôl iddynt hwy rengoedd o feibion y
gaethglud a'u golwg ar fyned yn athrawon, newydd
ddod o ysgolion bychain cefn gwlad…amaethwyr
ieuainc hefyd, bechgyn bochgoch o Fôn ac Arfon
oedd newydd ymaelodi yn yr Adran Amaethyddol…

pobl ddiniwed ymddangosiadol, dim gormod o Saesneg ganddynt, ac yn dueddol i gamddeall ambell air ac ergyd.

Roedd darlithio i'r dosbarth cymysg hwn yn dipyn o sialens ar y gorau ond roedd y sialens honno gymaint yn fwy gan fod y darpar athrawon yn eu mysg, yn fwy na gweddill y myfyrwyr, â'u bryd ar fanteisio ar bob cyfle i gael tipyn o hwyl am ben yr Athro. Doedd gan Bryan ddim syniad sut i ddal eu sylw na sut i danio'u diddordeb yn y pwnc. Ar ben hynny, roedd ei 'lais gwichlyd a rhyw wamalrwydd sain yn ei lythyren l' yn anfanteision pellach heb sôn am odrwydd a blerwch ei wisg. Byddai'r dosbarth yn aml yn ei ddyblau dan chwerthin. O dro i dro byddai pethau'n mynd dros ben llestri:

> Un bore, pan oedd yr Athro yn ceisio egluro problem enwog Pythagoras ar y trionglau yn llyfr cyntaf Ewclid ac wedi troi ei gefn ar y dosbarth i dynnu llun y broblem ar y bwrdd du, wele garreg (nid un fawr) yn gwibio o fewn modfedd i'w ben, ac yn tasgu ymaith oddiar y bwrdd. Neidiodd y dynion duaidd yn y ffrynt, neidiodd yr Athro yntau, arllwysodd allan ymadroddion hyllion annealladwy ymron, ond craidd eu neges oedd bod y dosbarth ar dranc a'i ddisgyblion wedi eu traddodi i Satan.

Wedi peth ymbil ar yr Athro gan y darpar weinidogion i beidio â pheryglu eu gobeithion am ennill gradd, penderfynodd Bryan gynnal ymchwiliad manwl i'r digwyddiad:

> Gelwid pob myfyriwr i mewn yn ei dro i ystafell yr Athro, i gael ei wynebu â siart fawr gydag enwau pob un ar y chwith yn ôl trefn y wyddor, ac ar y pen uchaf iddi gryn ugain o gwestiynau mewn ysgrifen fân. *Are you acquainted with the source of motion?* Ateb hwn yn gadarnhaol a olygai ddiwedd disyfyd ar yr *inquiry* ac alltudio llanc i wlad y gaethglud yn ei ôl. *Do you think the stone was shot from a catapult?* Gwahanol farnau

ar hyn, rhai atebion yn huawdl dechnegol. Cwestiwn mwy cyfrwys: *Do you know any one who did not throw the stone?* Cyfrwys neu beidio, nid oedd neb callach ar y diwedd nag ar y dechrau.

Casgliad terfynol Bryan oedd: *We shall assume the stone was not thrown.* Yn ôl tystiolaeth Richards, nid pethau prin oedd digwyddiadau fel hyn. I'r gwrthwyneb, roedd twrw mawr yn y dosbarth bob tro. Weithiau, gorfodwyd Bryan i fynd i nôl y Prifathro, Harry Reichel, o'i swyddfa er mwyn ceisio cael trefn:

A dyma hwnnw yn dod, gyda Bryan, horwth o ddyn dros ddwylath o daldra, yn ei ddilyn fel ci bach. Baich anerchiad y Prif mewn geiriau araf, oer, difrifol serch hynny, oedd cymharu cawr o enwogrwydd Ewropeaidd â chorachod o ddynion y byddai'n dda i'r byd gael gwared ohonynt. Sobreiddid y *class* drwyddo, ac am y gweddill o'r awr honno byddai distawrwydd. Deuai cyfle godidog i'r cawr i gofio am bechodau'r corachod wrth farcio papurau arholiad ddiwedd y tymor, a chai y gair olaf wrth gofio'n fanwl iawn am awduron y llu profedigaethau a ddigwyddodd i'w ran; cofiaf yn dda weled rhestr o'i eiddo yn ymddangos yn y cas gwydr, a gweled gollwng hen gyfaill i lawr dros ddibyn affwys a *minus* 8 ar gyfer ei enw.

Oedd, roedd gan Bryan ryw odrwydd eithafol yn ei bersonoliaeth ond roedd hefyd yn fathemategydd penigamp, ac ymysg goreuon ei gyfnod drwy Brydain i gyd. 'Cawr ymysg cewri oedd Bryan, ond plentyn ydoedd ymysg dynion' oedd casgliad Richards amdano.

Ganed George Hartley Bryan yng Nghaergrawnt ar Ddydd Gŵyl Dewi 1864. Bu farw ei dad y flwyddyn ganlynol a magwyd George yn unig blentyn gan ei fam a'r teulu estynedig. Roedd y cartref yng Nghaergrawnt ond treuliodd y teulu lawer o amser ar y cyfandir, yn Ffrainc a'r Eidal yn bennaf. O ganlyniad ni chafodd George ysgol ffurfiol o gwbl a gofalodd ei fam am ei addysg. Fe'i derbyniwyd i astudio mathemateg yng Ngholeg Peterhouse,

Caergrawnt, a byw gartref oedd ei hanes fel myfyriwr, heb fanteisio ar fywyd cymdeithasol y coleg. Mae'n bosibl i'r profiadau cynnar hyn gyfyngu ar ei allu i ymdrin â phobl eraill yn ddiweddarach yn ei yrfa.

Wedi graddio'n uchel mewn mathemateg dyfarnwyd ysgoloriaeth iddo gan ei goleg a'i galluogodd i aros yng Nghaergrawnt am rai blynyddoedd wedyn gan arbenigo mewn mathemateg thermodynameg, cangen o ffiseg sy'n ymwneud â natur gwres ac egni. Gwnaeth enw i'w hun fel mathemategydd hynod o ddisglair ac, yn ddiweddarach, fe'i hetholwyd yn ifanc iawn yn FRS ar sail ei waith mewn thermodynameg.

Wedi i'w ysgoloriaeth yn Peterhouse ddod i ben, roedd yn dipyn o syndod i rai ym Mangor iddo gael cynnig swydd yn y coleg gan Reichel. Fe'i penodwyd i swydd darlithydd dros dro i gychwyn, ond ar y dealltwriaeth gan Reichel y byddai'n cael ei ddyrchafu i'r Gadair Mathemateg Bur a Chymhwysol o fewn ychydig fisoedd. Roedd hyn yn ddigon o abwyd i Bryan er mai adran mathemateg fechan iawn oedd ym Mangor yn 1896 –yr Athro ac un darlithydd cynorthwyol i bob pwrpas.

Roedd Bryan yn olynu George Ballard Mathews, pennaeth cyntaf yr Adran Mathemateg ers ei sefydlu yn 1884. Roedd Mathews, serch ei odrwydd yntau hefyd, wedi ennill enw da i Fangor mewn mathemateg a'i arhosiad hir yno yn dangos iddo gael blas ar y gwaith ac ar y lleoliad, er iddo deimlo bod y baich gwaith darlithio i rai o'r dosbarthiadau elfennol yn gallu bod yn fwrn. Ond beth fyddai ymateb Bryan, dyn a oedd wedi treulio'r cyfan o'i fywyd hyd at hynny yng Nghaergrawnt, i weithio mewn adran fechan mewn tref glan môr yng ngogledd Cymru? Yn groes i'r disgwyl, efallai, setlodd Bryan i'w swydd ac yn 1906 priododd Mabel Williams, prifathrawes ysgol kindergarten Bangor a oedd yn gysylltiedig â'r coleg. Beth bynnag am ei swildod cymdeithasol, magodd Bryan hoffter o'i leoliad ac arhosodd yn ei swydd ym Mangor am weddill ei yrfa.

Fel pennaeth yr Adran Mathemateg roedd Bryan yn gyfrifol am oruchwylio holl waith yr adran ac am lunio maes llafur addas i'r myfyrwyr. Roedd angen iddo hefyd ysgwyddo llawer o'r baich darlithio. Nid oedd y gwaith gweinyddu wrth ei fodd, a manteisiodd ar bob cyfle posibl i ddianc er mwyn canolbwyntio ar ei ymchwil personol.

Erbyn 1911 roedd y coleg ym Mangor wedi symud o'i gartref gwreiddiol yn hen westy'r Penrhyn Arms ger Porth Penrhyn i'w gartref newydd ym Mangor Uchaf, yn ddigon pell o dwrw a phrysurdeb y dref. Yn yr adeilad ysblennydd hwn, y 'Coleg ar y Bryn', neilltuwyd coridor o ystafelloedd moethus ar gyfer yr Athrawon – *profs' corridor* – ar ben yr adeilad, gyda golygfeydd bendigedig dros dref Bangor, Bae Hirael a Phorth Penrhyn ac allan i'r môr i gyfeiriad Llandudno: llecyn godidog. Ar hyd y coridor hwnnw yng nghyfnod Bryan byddai hefyd ystafelloedd rhai o ysgolheigion enwocaf y genedl, gan gynnwys yr Athro John Morris-Jones. Mae modd, hyd heddiw, gamu allan o unrhyw un o'r ystafelloedd hyn i barapet agored i fwynhau'r olygfa. Sut fath o sgyrsiau, tybed, a fyddai rhwng yr ysgolheigion hyn, yn arbennig rhwng Morris-Jones a Bryan, wrth iddynt fentro i'r parapet o'u cuddfannau i gael ychydig o awyr iach?

Roedd John Morris-Jones hefyd wedi graddio mewn mathemateg (o Rydychen) cyn troi at iaith a llenyddiaeth Cymru; mae'n debyg y gellir priodoli ei radd trydydd dosbarth yno i'w ddiddordeb cynyddol yn y celfyddydau ar draul ei fathemateg. Roedd Morris-Jones hefyd wedi bod yn gyfrifol am rai o'r dosbarthiadau mathemateg ym Mangor yng nghyfnod Mathews er mwyn llenwi ambell fwlch yn yr Adran Mathemateg.

Un o atyniadau eraill ystafelloedd yr Athrawon oedd y cyfle i wylio'r gwylanod wrth iddynt hedfan heibio. Efallai iddynt ysbrydoli Morris-Jones i farddoni ond roedd eu hatyniad i Bryan yn hollol wahanol, oherwydd yma roedd yn gallu edmygu sgiliau hedfan y gwylanod a sylwi mor rhwydd roeddynt yn gallu manteisio ar bob awel i hofran yn hamddenol ac i newid eu cyfeiriad a'u cyflymder ar amrantiad. Beth oedd eu cyfrinach? Beth oedd yn caniatáu iddyn nhw hedfan mewn dull mor osgeiddig a didrafferth?

Roedd diddordeb Bryan mewn gwylanod yn rhan o'i ddiddordeb cynyddol mewn natur yn gyffredinol, diddordeb a fyddai'n hawlio'i holl sylw yn aml. Ar un o'i anturiaethau natur, mae'n debyg iddo gael ei gyffroi yn llwyr gan un o'i ddarganfyddiadau, a rhuthrodd adref i gofnodi'r cyfan, dim ond i sylweddoli ei fod, yn ei frwdfrydedd, wedi gadael ei ferch fach Margaret yn y goedwig ar ei phen ei hun.

Sgìl gwylan yn codi ar yr awel. *Trwy ganiatâd Michael Steciuk.*

Roedd hwn hefyd yn gyfnod cyffrous wrth i ddynion (a rhai menywod, rhaid cofio) geisio efelychu camp yr adar a meistroli'r grefft o hedfan. Mae'r stori o feistroli hedfan yn gyfuniad o arbrofi ac o ddamcaniaethu. Roedd rhai anturwyr yn barod i fentro gyda phob math o beiriannau hedfan, nifer ohonynt yn ecsentrig ac yn beryglus. Roedd eraill, yn fathemategwyr ac yn wyddonwyr, yn pwysleisio'r angen i ddeall y ffiseg gyda chymorth mathemateg.

Daniel Bernoulli (1700–1782), mathemategydd o'r Swistir ac un o deulu o fathemategwyr dylanwadol, a sefydlodd yr hafaliad sylfaenol sydd i'w weld ar gychwyn y bennod hon. Yr hafaliad hwn sy'n egluro pam y mae adenydd awyren yn cael eu codi i'r awyr wrth i awyren gyflymu ar hyd y tarmac. O ganlyniad i ddyluniad yr adenydd, mae cyflymder yr awyr o dan yr adenydd yn is na'r cyflymder ar ben yr adenydd, ac mae'n dilyn o hafaliad Bernoulli fod pwysedd yr awyr o dan yr adenydd yn uwch na'r pwysedd ar ben yr adenydd. Ac felly – abracadabra! – mae'r adenydd yn codi.

Er bod ffiseg a mathemateg y broses wedi'i sefydlu yn ôl yn y 18fed ganrif, mater arall yn llwyr oedd mynd ati i adeiladu awyren a oedd yn gallu hedfan heb beryglu bywyd. Y brodyr Wright oedd y cyntaf i lwyddo i hedfan yn ddiogel dros unrhyw bellter o bwys. Ond yr hyn a boenai'r arbrofwyr (ac a boenai'r mathemategwyr hefyd) oedd sut i sicrhau sadrwydd yr hedfan, sut i wneud yn siwr, er enghraifft, na fyddai'r awyren yn troi tindros-ben wrth symud ymlaen gan arwain at ddamwain angeuol. Cyfrinach y brodyr Wright oedd eu gallu i symud eu cyrff wrth hedfan a chadw'r awyren yn sad drwy wneud hynny, ond go brin y gellid disgwyl campau acrobatig o'r fath gan beilotiaid cyffredin. Er mwyn datrys y broblem hon roedd angen datblygu modelau mathemategol dibynadwy. Y sialens honno a ddenodd ddiddordeb Bryan, a rhoddodd ei holl egni ar geisio'i choncro.

Doedd obsesiwn Bryan gyda gwaith ar hedfan ddim wrth fodd Prifathro Reichel a oedd wedi penodi Bryan ar sail ei enw da ym maes thermodynameg. Ym marn Reichel, breuddwyd gwrach oedd unrhyw ymdrech i ddadansoddi cyfrinachau hedfan, a, beth bynnag, doedd Bryan ddim yn gallu cael trefn ar ei adran nac hyd yn oed ar ei ddosbarthiadau ei hun. Roedd ymddygiad Bryan yn boen meddwl i Reichel. Doedd pethau ddim yn dda rhwng y ddau, a dweud y lleiaf.

Roedd gan Bryan gymorth wrth law i fynd i'r afael â'r her yr oedd wedi'i gosod i'w hun. Ei brif gynorthwywyr oedd Edgar Henry Harper, darlithydd mewn mathemateg ym Mangor, a William Ellis (W.E.) Williams. Roedd W.E. wedi graddio mewn mathemateg bur, mathemateg gymhwysol a ffiseg dan Bryan yn 1900 ac fe'i penodwyd yn ymchwilydd i weithio gyda Bryan. Roedd yn fab i chwarelwr yn Nyffryn Ogwen, yn un o'r 'werin' y bwriadwyd y coleg ym Mangor ar ei gyfer. Cyfrannodd W.E. yn helaeth i ddatblygiad peirianneg drydanol ym Mangor ac, am 20 mlynedd olaf ei yrfa, bu'n bennaeth ar Adran Trydan Cymhwysol newydd a sefydlwyd yno yn 1927, ac fe'i dyrchafwyd yn Athro cyntaf peirianneg electronig yn 1942.

Gyda Bryan y cychwynnodd W.E. ei waith ac y magodd brofiad o'r bywyd academaidd. Mae'n anodd dychmygu natur y sgyrsiau cynnar rhwng Bryan, y Sais rhonc, a W.E., y gwerinwr o Gymro, ond roedd y bartneriaeth yn ffrwythlon iawn. W.E. oedd y dyn ymarferol, y peiriannydd gyda'r gallu i gynllunio arbrofion er mwyn rhoi syniadau Bryan ar brawf. Un o'r arbrofion mwyaf uchelgeisiol, a llai llwyddiannus, oedd adeiladu awyren a cheisio'i hedfan ar Draeth Coch ger Benllech ar Ynys Môn. Methiant fu'r arbrawf hwnnw ar un olwg gan fod corff yr awyren yn rhy drwm i hedfan ond dysgwyd llawer yn y broses.

Yr awyren 'Bamboo Bird' ar Draeth Coch, Ynys Môn.
Adran Archifau a Llawysgrifau, Prifysgol Bangor.

Yn 1911, yn fuan ar ôl hedfaniad llwyddiannus y brodyr Wright, cyhoeddodd Bryan ei gampwaith, *Stability in Aviation*, llyfr cwbl chwyldroadol. Mae'r astudiaeth hon o sadrwydd awyren yn ddadansoddiad mathemategol manwl sy'n sail i ddyluniad yr awyren fodern. Mae technoleg hedfan ddoe, heddiw ac yfory yn gwbl ddibynnol ar gynnwys y llyfr hwn. Dros gan mlynedd wedi'i gyhoeddi mae'n dal i fod yn glasur yn ei faes.

I gydnabod ei orchest derbyniodd Bryan fedal aur y Gymdeithas Awyrennol Frenhinol yn 1915. Nid llyfr darllen amser gwely yw *Stability in Aviation*, ond ei hafaliadau yw'r allwedd i'r gelfyddyd o hedfan, ac ynddo mae'r fformiwlâu a ddatblygwyd gan George Hartley Bryan yn ei ystafell ar lannau Porth Penrhyn ym Mangor. Yr un ystafell, mae'n bur debyg, â'r un y bu'n ymlafnio ynddi gyda chorachod y dosbarth *matriculation*.

Roedd George Hartley Bryan a John Morris-Jones yn gyfoedion, y ddau wedi graddio mewn mathemateg, a'r ddau wedi cael eu dyrchafu yn gymharol ifanc yn benaethiaid adran yng ngholeg

Bangor, y naill mewn mathemateg a'r llall yn y Gymraeg. Cyhoeddodd Bryan ei gampwaith *Stability in Aviation* yn 1911, a Morris-Jones ei gampwaith yntau, *A Welsh Grammar*, yn 1913. Roedd dylanwad ei gefndir mewn mathemateg yn gryf ar ddadansoddiad Morris-Jones o ramadeg y Gymraeg a'i ymgais i ddeall patrymau'r iaith yn sail iddo lunio rheolau ynghylch y patrymau hynny. Mae *A Welsh Grammar* yn llyfr sy'n llawn symbolau, gymaint felly fel y denodd ymateb smala gan frodor o Fôn wrth iddo agor ei gopi ar ei ganol: 'Algebra, myn diawl i!'

Roedd Bryan a Morris-Jones yn gymeriadau gwbl wahanol i'w gilydd: Bryan yn brin o'r sgiliau cymdeithasol elfennol, heb fawr o glem sut i drin ei gydweithwyr na'i fyfyrwyr, wedi ymgolli ym myd ei hafaliadau; Morris-Jones yn ffigwr cyhoeddus o bwys, yn ddylanwadol ym mywyd ei goleg, yn uchel ei barch yn lleol ac yn genedlaethol. Ar ymweliad â'r coleg yn 1929, blwyddyn ar ôl marwolaeth Bryan, cafodd y cyn-Brifathro Harry Reichel ei dywys gan Dr Thomas Richards, a oedd bellach yn llyfrgellydd y coleg, i edrych ar luniau rhai o'r cyn-staff yn yr ystafell gyffredin. Wrth i Reichel oedi o flaen llun o Bryan, gwnaeth y sylw, 'Yes, we made a mistake there.' Doedd Reichel erioed wedi deall pwysigrwydd gwaith ymchwil Bryan â'i farn amdano wedi'i lywio gan ei anaddasrwydd fel darlithydd a gweinyddwr.

Pe byddech yn ymweld â llyfrgell Prifysgol Bangor heddiw, ni fyddech yn cael dim trafferth o gwbl i gael hyd i gopïau o *A Welsh Grammar*, ond hyd at yn ddiweddar iawn byddech wedi chwilio'n ofer am unrhyw gopi o *Stability in Aviation*. Byddech hefyd yn ei chael hi'n hawdd dod ar draws cerflun trawiadol o Morris-Jones yn un o'r prif goridorau, ond does dim cerflun na llun o Bryan yn unman. Mae Neuadd John Morris-Jones – 'JMJ' ar lafar gwlad – yn symbol gweladwy o Athro y Gymraeg, ond does dim byd tebyg i goffáu Bryan. Diflannodd pob cof amdano. Does ryfedd, felly, i Jim Boyd, pumed deiliad y Gadair mewn mathemateg gymhwysol ym Mangor, roi'r teitl 'Proffwyd heb anrhydedd' ar ddarlith gyhoeddus a draddododd yn 2011 i ddathlu camp George Hartley Bryan.

Pos mynd am dro

Mae George yn mynd am
dro hir o'i gartref: 2 filltir i'r
gogledd, 2 filltir i'r dwyrain,
4 milltir i'r de, 5 milltir i'r
gorllewin a 6 milltir i'r gogledd.
Erbyn hynny mae'n sylweddoli
ei fod ar goll. Pa mor bell yw
George o'i gartref, fel yr hed y
frân?

7 BETH YW TEITL Y BENNOD HON?

Tryleg, sir Fynwy

$$1 + 1 = 2$$

Bertrand Russell (1872–1970).
Wikipedia Commons (1957).

Rydych wedi bod wrthi am flynyddoedd yn ysgrifennu llyfr ar bwnc anodd a chymhleth. O'r diwedd mae'r dyddiad cyhoeddi wedi cael ei drefnu a'r gyfrol ar fin cael ei hargraffu. Yn sydyn ac yn gwbl ddirybudd mae llythyr yn eich cyrraedd gan gyfaill sy'n arbenigwr yn yr un maes. Yn y llythyr hwnnw mae'n tynnu'ch sylw'n garedig at ddarganfyddiad y mae newydd ei wneud ac yn tybio yr hoffech ei weld. Mae'r darganfyddiad ar ffurf paradocs, sy'n fath arbennig o bos. Mae'r paradocs yn un digon diniwed yr olwg ond, wrth ichi feddwl drosto'n ofalus, rydych yn dod i sylweddoli ei fod yn tanseilio prif ddadl eich llyfr. Rydych yn ei ailddarllen drosodd a throsodd ond yn methu'n lân â gweld ffordd i'w osgoi. Daw chwys oer drosoch wrth ichi sylweddoli eich bod yn wynebu'r hunllef waethaf all ddod i ran unrhyw awdur, sef bod eich holl waith wedi'i adeiladu ar dywod ac yn gwbl ddiwerth. Y blynyddoedd o waith ymchwil caled, yr oriau o berffeithio pob dadl, y gofal dros ddewis y geiriau addas a sicrhau bod pob manylyn yn gywir – y cyfan yn ofer. Mae'n rhy hwyr i dynnu'ch llyfr o'r wasg ond mae'r cyhoeddwyr yn caniatáu ichi ychwanegu brawddeg ar dudalen olaf y llyfr i gydnabod, yn anffodus iawn, nad yw seiliau'r gwaith yn gadarn.

Awdur llyfr o'r fath oedd yr Almaenwr Gottlob Frege (1848–1925), mathemategydd, rhesymegydd ac athronydd o fri, y cyhoeddwyd ei lyfr (yr ail o ddwy gyfrol ar sylfeini rhifyddeg) yn 1903. Ei gyfaill yn yr un maes oedd Bertrand Russell (1872–1970), a aned yn sir Fynwy, un o ysgolheigion mawr yr ugeinfed ganrif.

Mae Frege yn cloi ei ail gyfrol â'r sylwadau torcalonnus hyn:

> Prin y gallai awdur gwyddonol ddod ar draws unrhyw beth mwy annymunol na gweld un o sylfeini ei adeiladwaith yn cael ei chwalu unwaith y mae ei waith wedi ei gwblhau. Dyma'r sefyllfa y canfûm fy hun ynddi yn sgil llythyr gan Mr Bertrand Russell, pan oedd y gwaith o argraffu'r gyfrol hon yn tynnu at y terfyn.

(Cyfieithiad o'r Almaeneg wreiddiol)

Ganed Bertrand Russell ym mhentref Tryleg, sir Fynwy, i deulu rhyddfrydol a dylanwadol yn perthyn i'r aristocratiaeth Brydeinig. Bu farw ei fam, ei dad a'i unig chwaer cyn i Bertrand gyrraedd ei bedair oed. Gofalwyd amdano, a Frank, ei frawd saith mlynedd yn hŷn, gan rieni'r tad yn eu tŷ ym Mharc Richmond, Llundain. Bu farw eu taid, y cyn-Brif Weinidog, yr Arglwydd Russell, ddwy flynedd wedyn, gan adael y ddau frawd dan ofal eu nain.

Chafodd Russell ddim ysgol ffurfiol ond daeth cyfres o diwtoriaid i'r tŷ i geisio'i roi ar ben ffordd, a dysgodd yn gyflym. Erbyn cyrraedd ei arddegau cynnar roedd yn hogyn unig a sensitif iawn yn cael ei boeni gan obsesiynau rhywiol a dirgelion crefydd. Cafodd gyfnodau o iselder ysbryd dwfn a'u harweiniodd at ystyried hunanladdiad. Yn ôl ei dystiolaeth ei hun, fe'i hachubwyd o'r felan gan ei frawd a gyflwynodd waith Ewclid iddo: 'This was one of the great events of my life, as dazzling as first love. I had not imagined that there was anything so delicious in the world.' O'r eiliad hwnnw, meddai, mathemateg oedd ei brif ddiddordeb a gwneud mathemateg oedd yn rhoi'r hapusrwydd mwyaf iddo.

Camp y Groegwr Ewclid yn ei lyfr *Elfennau* (tua 300 CC) oedd datblygu geometreg gam wrth gam a dangos bod ganddi sail gadarn a rhesymegol. Mae cenedlaethau o blant ysgol wedi cael eu magu ar Ewclid ac wedi cael eu cyflwyno i'w ddull o ymresymu. I Russell, roedd y dull hwnnw'n gwbl glir o'r cychwyn cyntaf ac roedd ganddo brofiad, o'r diwedd, fod yna sicrwydd i'w gael yn y byd hwn, a hynny'n tawelu ei feddwl ac yn rhoi hyder iddo fentro ymhellach. Hynny hefyd a'i hysbrydolodd i ganolbwyntio yn ei waith ar fathemateg i geisio gosod rhifyddeg ar sail gadarn hefyd – roedd Ewclid wedi cyflawni'r gamp gyda geometreg ac roedd yn hen bryd i rywun wneud yr un peth â rhifyddeg. Dyna'r her a lywiodd flynyddoedd cynnar ei yrfa, sef, yn syml, i ateb y cwestiwn sut y gallwn fod yn sicr, yn gwbl sicr, fod 'un ac un yn gwneud dau'. Ond mwy am hynny yn nes ymlaen.

Treuliodd Russell y rhan helaethaf o'i fywyd llawn a lliwgar ym mhrifysgolion Rhydychen a Chaergrawnt, gyda chyfnodau mewn prifysgolion eraill ym Mhrydain a thramor. Dychwelodd i Gymru am 15 mlynedd olaf ei oes ym Mhlas Penrhyn, ger Portmeirion, rhwng Penrhyndeudraeth a Phorthmadog.

Ar un olwg, roedd penderfyniad Bertrand ac Edith Russell i symud o brysurdeb Llundain i dawelwch sir Feirionnydd yn annisgwyl, a dweud y lleiaf, ond roedd yno hefyd nifer o atyniadau. Yn ystod y 1950au a'r 1960au roedd y rhan hon o Gymru rhwng traethau Eifionydd a mynyddoedd Eryri wedi dod yn lle ffasiynol i fyw'r bywyd bohemaidd: daeth yn atyniad i'r *avant-garde*, yn artistiaid a llenorion, yn sosialaidd eu tueddiadau gwleidyddol, a phensaernïaeth Clough Williams-Ellis ym Mhortmeirion, yn arbennig, yn symbol o gynnwrf y cyfnod.

Does dim prinder hanesion am y teulu yng nghof trigolion lleol, rhai yn pwysleisio eu harwahanrwydd, fel cofio gweld Russell a Williams-Ellis yn eu trwseri pen-glin ar strydoedd Penrhyndeudraeth. Mae rhai hefyd yn hanesion mwy personol, fel atgof un o drigolion Minffordd sy'n cofio mynd yn ddisgybl 16 oed ar y trên yn ddyddiol i'r ysgol uwchradd yn Harlech ac weithiau'n cael cwmni Russell am ran o'r daith, yntau'n sgwrsio'n agored gyda'r plant a hwythau'n rhyfeddu at ei Saesneg uchel-ael. Ond nid pawb oedd yn cynhesu at y gŵr rhyfeddol hwn yn ei fro newydd – fel yr hogiau ar sedd gefn bws ysgol a welwyd yn tynnu wynebau ar Russell wrth i'r bws ei basio. A cheir hanesion lleol hefyd am rai o arferion 'anarferol' y teulu ym Mhlas Penrhyn o ran eu dewis o fwyd neu eu tuedd i grwydro'r tŷ yn hanner noeth.

Ar ben ei waith academaidd, roedd Russell hefyd yn ymgyrchydd brwd dros heddwch. Yn 1958 roedd yn un o sefydlwyr CND (Campaign for Nuclear Disarmament), yr ymgyrch dros ddiarfogi niwclear, ac ef oedd ei unig lywydd. Gymaint oedd ei ddylanwad a'i gysylltiadau yn y byd gwleidyddol yn ogystal â'r byd academaidd, cred rhai mai Russell oedd y ddolen gyswllt hollbwysig rhwng Nikita Khrushchev, arweinydd yr Undeb Sofietaidd, a John F. Kennedy, Arlywydd America, yn ystod argyfwng taflegrau Ciwba yn 1962. Yn ôl rhai, telegramau Russell a sicrhaodd fod y naill ochr yn gallu cyfathrebu â'r llall gan lwyddo i osgoi cyflafan niwclear. Mae'r hanesydd Deian Hopkin yn cofio bod yn rhan o orymdaith ceir yn 1962 yn cludo aelodau CND o goleg Aberystwyth i Benrhyndeudraeth i fod yn gefn i ymdrechion Russell. Ar y pryd roedd yna ymdeimlad cryf ymhlith aelodau CND a'r boblogaeth yn gyffredinol nad oedd ganddynt y pŵer i ddylanwadu ar wleidyddion ac mai troi at Russell oedd eu hunig obaith. Wrth edrych yn ôl ar y cyfnod, mae Hopkin o'r farn bod dylanwad Russell yn llai na'r hyn a dybiwyd gan yr ymgyrchwyr ifanc.

Roedd Russell wedi defnyddio iaith ffurfiol rhesymeg i egluro ei baradocs i Frege. Yn y man, ail-luniwyd y paradocs ar ffurf stori am farbwr a daeth y stori honno'n enwog ar lawr gwlad. Dyma fersiwn o'r stori sy'n aralleirio 'paradocs Russell':

> Mae John yn farbwr sy'n byw ac yn gweithio ym mhentref Hengwm. John yw'r unig farbwr yn Hengwm. Mae John yn siafio pob dyn yn Hengwm nad yw'n siafio'i hun. Popeth yn iawn hyd yma, a phob cymal yn ymddangos yn ddigon rhesymol. Ond, gan bwyll! Pwy, tybed, sy'n siafio John?
>
> Meddyliwch yn ofalus am yr opsiynau: os nad yw John yn siafio'i hun mae'n dilyn o'r gosodiad, 'Mae John yn siafio pob dyn yn Hengwm nad yw'n siafio'i hun' ei fod yn siafio'i hun, ac os yw'n siafio'i hun mae hefyd yn dilyn o'r un gosodiad nad yw'n siafio'i hun!

Dyna'r paradocs. Mae pen rhywun yn troi wrth geisio'i ddatrys ond yr unig ganlyniad call yw nad oedd y gosodiad cyntaf yn rhesymol wedi'r cyfan. Cawsom ein twyllo i dderbyn gosodiad syml, un a oedd yn ymddangos yn ddigon diniwed, sef 'Mae John yn siafio pob dyn yn Hengwm nad yw'n siafio'i hun'. Cawsom ein synnu wrth ddarganfod bod anghysondeb sylfaenol yn dilyn o frawddeg syml. Mae hwn yn baradocs sy'n dwyllodrus o syml ond mae iddo ddyfnderoedd pellgyrhaeddol. Y paradocs hwn, mewn iaith fwy ffurfiol, a ddinistriodd sail gwaith Frege, a'r paradocs hwn a arweiniodd fathemategwyr, rhesymegwyr ac athronwyr i ailystyried beth yn union yw hanfod mathemateg. Nid yw'r sefyllfa eto wedi cael ei datrys yn llwyr, fel y gwelwn yn y man.

Un o glasuron mathemateg yr 20fed ganrif oedd *Principia Mathematica*, campwaith swmpus tair cyfrol a gyhoeddwyd, yn eu tro, yn 1910, 1912 ac 1913. Yr awduron oedd Russell ac Alfred North Whitehead (1861–1947), yntau hefyd yn fathemategydd ac yn athronydd. Nod y llyfrau hyn oedd ceisio gosod rhifyddeg ar seiliau cadarn gan ddangos bod yr holl ffeithiau y byddwn yn dibynnu arnynt o ddydd i ddydd yn gwbl ddibynadwy ac yn gwbl gyson. Sut allwn ni fod yn sicr bod 'un ac un yn ddau', ffaith yr ydym yn ei gymryd yn ganiataol ar sail ein profiad dyddiol? Ceisiodd Russell a Whitehead wneud hynny gan ddefnyddio rhesymeg ffurfiol. Oherwydd hynny, mae tudalennau'r llyfrau yn llawn symbolau oeraidd rhesymeg heb fawr o eiriau o gwbl. Ychydig o iaith gyffredin a ddefnyddir yn y llyfrau i egluro'r dadleuon, a phrin iawn oedd y mathemategwyr bryd hynny oedd yn gallu deall iaith rhesymeg ffurfiol a dilyn y dadleuon. Llwyddodd Russell a Whitehead i brofi bod 'un ac un yn ddau', er mawr ryddhad i bawb, ond methiant oedd eu huchelgais uwch i sefydlu'n derfynol fod mathemateg yn system ddibynadwy a chyson.

$$*11\cdot51. \quad \vdash:.(\mathfrak{I}x):(y).\phi(x,y):\equiv:\sim\{(x):(\mathfrak{I}y).\sim\phi(x,y)\}$$

$Dem.$

$\vdash.*10\cdot252.\text{Transp}.\supset\vdash:.(\mathfrak{I}x):(y).\phi(x,y):\equiv:\sim[(x):\sim(y).\phi(x,y)] \quad (1)$

$\vdash.*10\cdot253.\supset\vdash:.\sim(y).\phi(x,y). \qquad \equiv:(\mathfrak{I}y).\sim\phi(x,y):.$

$[*10\cdot11\cdot271]\supset\vdash:.(x):\sim(y).\phi(x,y): \qquad \equiv:(x):(\mathfrak{I}y).\sim\phi(x,y):.$

$[\text{Transp}]. \quad \supset\vdash:.\sim[(x):\sim\{(y).\phi(x,y)\}]. \qquad \equiv:\sim\{(x):(\mathfrak{I}y).\sim\phi(x,y)\} \quad (2)$

$\vdash.(1).(2).\supset\vdash.\text{Prop}$

...symiau oer rhesymeg
(*Principia Mathematica*, Bertrand Russell ac Alfred North Whitehead).

Mae'n debyg bod Russell wedi cael breuddwyd hunllefus am flynyddoedd ar ôl cyhoeddi'r *Principia*. Yn y freuddwyd mae'n gweld llyfrgell ysblennydd a'r llyfrgellydd yn cerdded ar hyd y silffoedd gan wthio berfa enfawr. O bryd i'w gilydd mae'n arafu ac yn tynnu o'r silffoedd ambell hen lyfr nad yw bellach yn berthnasol ac yn ei daflu i'r ferfa. Yn y freuddwyd mae Russell yn gweld llyfrau *Principia* ar un o'r silffoedd ac, ymhen hir a hwyr, mae'r llyfrgellydd yn cyrraedd y silff honno. Mae'n tynnu un o'r cyfrolau i lawr, yn agor y llyfr ac yn edrych ar y cynnwys. Daw ryw olwg ddryslyd i'w wyneb, mae'n cau'r llyfr ac yn ei ddal yn betrusgar dros y ferfa. Beth yw penderfyniad y llyfrgellydd: rhoi'r llyfr yn ôl ar y silff neu ei daflu i'r ferfa? Bob tro y cafodd Russell y freuddwyd hon byddai'n deffro'n chwys domen ar yr union bwynt hwn, a chafodd fyth ddarganfod tynged ei gampwaith.

Roedd gwaith Frege ar droad y ganrif ddiwethaf a gwaith diweddarach Russell a Whitehead yn rhan o ymgyrch i osod rhifyddeg ar seiliau cadarn. Am ganrifoedd lawer roedd y ffeithiau sylfaenol wedi'u cymryd yn ganiataol, ond yn 1874 roedd Georg Cantor (1845–1918), mathemategydd arall o'r Almaen, wedi creu pob math o ansicrwydd wrth iddo ymchwilio i'r syniad o setiau. Ar un olwg, mae'r syniad o set yn eithaf syml ac yn gyfarwydd heddiw i blant ifanc iawn wrth iddynt greu a thrafod set o bethau coch neu set o bethau crwn ac yn y blaen. Ond, gofynnodd Cantor, beth am enghraifft fel y set o rifau cyfrif 1, 2, 3, 4, ac ymlaen? Mae hwn eto yn edrych yn syniad digon naturiol hyd nes ichi ofyn, fel y gwnaeth Cantor, faint o rifau sydd yn y set hon. Wel, nifer anfeidrol, debyg iawn. A dyna ni ar ein pennau yn dechrau trafod rhifau anfeidrol ac mewn perygl o fynd ar goll yn eu canol.

Yr hyn a ddangosodd Cantor oedd ei bod yn bosibl trin rhifau anfeidrol mewn ffordd gall a rhesymegol. Dechreuodd gyda'r set o rifau cyfrif 1, 2, 3, 4, ac ymlaen, a defnyddiodd y symbol $\aleph_0$ (aleph-dim), symbol sy'n seiliedig ar y llythyren Hebraeg am 'A', i gynrychioli faint o rifau sydd yn y set 1, 2, 3, 4, ac ymlaen. Gofynnodd wedyn faint o eilrifau sydd: 2, 4, 6, 8, ac ymlaen. Mae 'synnwyr cyffredin' yn awgrymu bod mwy o rifau cyfrif nag o eilrifau ond nid felly y mae hi. Dangosodd Cantor fod aleph-dim o eilrifau hefyd ac, ar yr un sail, fod aleph-dim o odrifau – syniadau sydd braidd yn groes i'r disgwyl ac yn arwain at yr hafaliad rhyfeddol hwn:

$$\aleph_0 + \aleph_0 = \aleph_0$$
(aleph-dim + aleph-dim = aleph-dim)

Roedd Cantor ei hun yn pryderu ynghylch canlyniadau ei waith ac yn poeni am natur anfeidredd, cymaint felly fel iddo ddioddef o iselder ysbryd. Ymhen amser, daethpwyd i weld bod Cantor wedi cymryd cam pwysig ymlaen, ond nid dros nos y cafodd ei syniadau eu derbyn. Roedd cyfnod anodd o geisio dod i'r afael â setiau anfeidrol a'r problemau o sut i ddiffinio setiau o'r fath – beth oedd yn dderbyniol a beth nad oedd yn dderbyniol. I'r fagl honno y disgynnodd Frege ac yno y bu Russell a Whitehead yn ceisio cael pethau yn ôl i drefn.

Bu cysylltiad agos erioed rhwng mathemateg ac athroniaeth. Beth yw natur gwybodaeth fathemategol? Yng ngeiriau un athronydd, nid yw mathemateg yn ddim byd ond y casgliad o frawddegau ar y ffurf 'os p, yna q' gyda p a q yn osodiadau. Er enghraifft, '*os* yw rhif yn eilrif *yna* mae'r rhif sydd un yn fwy yn odrif.' Mae'r cyfan yn dibynnu ar reolau ymresymu.

Os p yna q

p Mae gen i het dri chornel, tri chornel sydd i'm het

yna:

q Ac os nad oes dri chornel, nid honno yw fy het.

Ymhen hir a hwyr roedd mathemategwyr a oedd yn poeni am sylfaen eu pwnc wedi dechrau dod i arfer â pharadocs Russell ac roeddynt yn ymwybodol o'r nod i brofi'n ddiamwys fod y corff o wybodaeth sy'n ffurfio mathemateg – yr holl gasgliadau o ddatganiadau ar y ffurf 'os p yna q' – yn ddibynadwy ac yn gyson. Ond yn 1931, yn gwbl annisgwyl, cafwyd chwyldro nad yw eto wedi gweld ei ddiwedd, pan brofodd Kurt Gödel (1906–1978), Almaenwr arall yn y stori ryfeddol hon, rai o ganlyniadau mwyaf syfrdanol mathemateg.

Roedd Gödel yn fathemategydd o fri a oedd wedi seilio ei yrfa ar astudio meysydd ar y ffin rhwng mathemateg ac athroniaeth. Treuliodd ei flynyddoedd olaf ym Mhrifysgol Princeton, un o sefydliadau enwocaf America, lle bu'n gyfaill agos i Albert Einstein, a oedd wedi symud yno yn 1933. Roedd Gödel yn wahanol iawn i'r cyffredin, yn fewnblyg a swil, ac yn cael anhawster i gyfathrebu ag eraill. Tua diwedd ei oes perswadiodd ei hun fod rhywrai am ei wenwyno a gwrthododd fwyta, er mawr ofid i'w wraig a'i gyfeillion. Ond doedd dim modd dwyn perswâd arno a bu farw yn ei gartref yn Princeton.

Profodd Gödel ddau beth sydd wedi siglo'r byd mathemategol i'w sail. Yn gyntaf, profodd nad oedd unrhyw bwrpas ceisio profi bod mathemateg yn gyson. Mae'r dasg, meddai Gödel, yn gwbl amhosibl a rhaid byw gyda'r ffaith nad oes modd profi bod mathemateg yn gyson nac yn anghyson; nid ein bod eto i ddarganfod prawf clyfar y naill ffordd neu'r llall, ond ei bod yn ei hanfod yn gwbl amhosibl i lunio prawf o'r fath.

Yn ail, profodd Gödel fod rhai canlyniadau mathemategol yn wir er nad oes modd eu profi. Mae ein profiad yn dangos y gall ambell ddamcaniaeth fod yn wir ond bod angen inni aros am flynyddoedd lawer cyn y mae'n cael ei phrofi. Ond mae prawf Gödel yn ddyfnach na hynny. Meddyliwch am y peth o ddifrif – canlyniad sy'n wir ond sydd yn amhosibl i neb ei brofi – nid heddiw, nac yfory, na hyd dragwyddoldeb!

Mae canlyniadau Gödel yn rhai dwfn iawn ac yn parhau i beri trafferthion i fathemategwyr. Llwyddodd Russell ganrif a mwy yn ôl i gyffroi'r dyfroedd â'i baradocs rhyfeddol ac nid yw'r dyfroedd wedi tawelu wrth i Gödel roi tro arall i'r gymysgedd. Rhaid inni bellach fodloni ar ansicrwydd yn lle sicrwydd, a bod yn baradocsaidd sicr yn yr ansicrwydd hwnnw. Rhyfedd o fyd mathemategol!

Yn ei hunangofiant, mae Russell yn cyfeirio at y tri pheth y teimlai'n angerddol amdanynt ac a reolodd ei fywyd, sef ei ysfa am gariad, ei awch am wybodaeth, a'i dosturi dros ddioddefaint ei gyd-ddyn. Roedd deall mathemateg yn rhan o'i awch am wybodaeth, awch a fynegodd yn huawdl, fel ei ymdrech i ganfod y pŵer 'by which number holds sway above the flux'. Cydnabu na lwyddodd i gyflawni ei uchelgais, ond roedd ei gyfraniad i'n dealltwriaeth o ddirgelion rhif yn gam sylweddol ymlaen ac, yn ei sgil, profodd Gödel mai ofer yw ceisio darganfod y dirgelion oll.

Bu farw Bertrand Russell yn ei gartref ym Mhlas Penrhyn ar 2 Chwefror 1970, yn 97 oed. Cynhaliwyd yr angladd yn Amlosgfa Bae Colwyn a gwasgarwyd ei lwch ar fynyddoedd Eryri. Er iddo honni bod yn agnostig, os nad yn anffyddiwr, ei hoff adnod oedd 'Paid â dilyn y lliaws i wneud drwg' (Exodus 23:2). O ran ei fathemateg cyflawnodd lawer o dda ac roedd mathemateg, yn ei thro, wedi rhoi iddo'r hyder a'r ysbrydoliaeth i gyrraedd y brig.

Pos Merêd

Un o ddiddordebau mawr Merêd (Meredydd Evans, 1919–2015), a raddiodd mewn athroniaeth ym Mhrifysgol Bangor ac a enillodd ddoethuriaeth mewn athroniaeth yn America, oedd natur y broses o ymresymu. Yn 1975 addasodd Merêd a Robin Bateman, athro mathemateg profiadol, lyfrynnau i'r Gymraeg dan y teitl *Ymresymu i'r Newyddian* yn sail i gwrs lefel O mewn rhesymeg drwy gyfrwng y Gymraeg, ochr yn ochr â chwrs cyffelyb yn Saesneg. Dyma enghraifft o'r math o gwestiwn sydd yn y llyfrynnau:

A yw'r ymresymiad hwn yn ddilys neu yn annilys?

Rhaid i bob Barnwr fod yn gyfreithiwr.
Mae rhai cyfreithwyr yn gwisgo wig.
Felly mae pob Barnwr yn gwisgo wig.

8 MATHEMATEG I'R MILIWN

Glyn Ceiriog

$$n! \approx n^{n}e^{-n}\sqrt{2n\pi}$$

Hafaliad rhyfeddol James Stirling (1692–1770) a ddefnyddiwyd gan Lancelot Hogben yn ei lyfr *An Introduction to Mathematical Genetics*.

Lancelot Thomas Hogben (1895–1975).
Rhodd gan Michael Sonnenfeldt (2013).
Trwy ganiatâd yr International Center of Photography.

Roedd ein hathro cemeg yn Ysgol Ramadeg Treffynnon, Samuel Lynton Rees, yn un o'n hoff athrawon, er rhyw fymryn yn ecsentrig. Mae'n bosibl, yn wir, fod ecsentrigrwydd 'Sammy Rees' yn ychwanegu at ei addfwynder a'n hoffter ohono. Roedd ei frwdfrydedd dros ei bwnc yn heintus a byddem yn dotio at ei sylwadau manwl a maith ar ymyl dalen ein gwaith cartref yn ei ysgrifen fân, fân.

Roedd gan Sammy Rees ddiddordebau eang y tu hwnt i'w bwnc hefyd, yn arbennig mewn cerddoriaeth, a chwaraeai'r soddgrwth yn y gerddorfa leol. Ffugiai ddiddordeb mewn criced a dyfarnodd o dro i dro mewn gemau yn yr ysgol. Yn ein barn ni'r chwaraewyr, nid oedd ei ddyfarniadau'n gwbl ddibynadwy, ond cawsant eu parchu bob tro.

Byddai'n cyfeirio at y rhai hynny ohonom oedd yn dangos diddordeb arbennig mewn mathemateg fel '*mathemagicians*', gair a ddefnyddiodd gydag anwyldeb chwareus. Wrth edrych yn ôl, mae'r gair '*mathemagicians*', er mor ddiniwed ar un olwg, yn creu delwedd o ddewiniaid sydd wedi ffurfio cylch cyfrin a chaeedig o fathemategwyr.

Mae cynsail hanesyddol cryf i'r ddelwedd o fathemateg fel rhyw fath o gelfyddyd ddu gyda chysylltiadau lled grefyddol. Mudiad crefyddol yn y bôn oedd y grŵp o ysgolheigion a ysbrydolwyd gan Pythagoras, er ein bod erbyn hyn yn ei gysylltu'n bennaf â geometreg. Y Pythagoreaid hefyd a hybodd y gred mewn cyfriniaeth rhif a'r ofergoelion a dyfodd o hynny, gan gynnwys bod rhai rhifau'n 'lwcus' ac eraill yn 'anlwcus'. Mae ofergoeliaeth o'r fath yn parhau'n fyw ac yn iach heddiw wrth i lawer ddal at y syniad bod cyswllt rhwng rhifau a digwyddiadau dyddiol. Mae 13 yn rhif 'anlwcus' i rai yma yng Nghymru tra bo 8 yn rhif 'lwcus' i rai yn China.

Rhyw gan mlynedd wedi'r Pythagoreaid, sefydlodd yr athronydd Platon (427–347 cc) ei Academi yn Athen, y sefydliad addysg uwch cyntaf yn y byd Gorllewinol. Uwchben y mynediad i'r Academi dywedir iddo osod y geiriau ΑΓΕΩΜΕΤΡΗΤΟΣ ΜΗΔΕΙΣ ΕΙΣΙΤΩ, sef, yn fras, 'Dim mynediad i unrhyw un nad yw'n deall geometreg'. Mae'r rhybudd yn tanlinellu pwysigrwydd mathemateg ac yn awgrymu, ar yr un pryd, fod mynediad i'w dirgelion wedi'i gyfyngu. Yng ngwledydd y Gorllewin, rhwng y cyfnod clasurol a'r Dadeni, ysgrifennwyd am syniadau mathemategol mewn Lladin a Groeg yn unig. Cylch cymharol gyfyng o ysgolheigion oedd â'r gallu i ddarllen amdanynt ac roeddynt allan o gyrraedd pobl gyffredin.

Ym Mhrydain, Robert Recorde (Pennod 1) oedd y cyntaf i herio'r drefn hon trwy gyflwyno mathemateg yn Saesneg ar gyfer y rhai y cyfeiriodd atynt fel 'the vnlearned sorte', sef y mwyafrif llethol nad oedd wedi cael addysg glasurol. Wrth geisio 'poblogeiddio' mathemateg a'i chyflwyno i'r werin gyffredin, roedd Recorde yn torri cwys gwbl newydd.

Y biolegydd Lancelot Thomas Hogben (1895–1975) oedd Recorde yr 20fed ganrif, un gyda'r weledigaeth o gyflwyno hyfrydwch a champ mathemateg a gwyddoniaeth i gynulleidfa eang, yn hytrach na dim ond i arbenigwyr yn y meysydd hynny. Roedd yn un o boblogeiddwyr cynnar mathemateg a gwyddoniaeth yn y cyfnod modern. Cyhoeddodd Hogben *Mathematics for the Million* yn 1936, wedi iddo ysgrifennu'r gyfrol yn ystod cyfnod hir mewn ysbyty, a dilynwyd y llyfr yn fuan gan *Science for the Citizen*, a gyhoeddodd yn 1938. Diben Hogben wrth ysgrifennu'r ddau lyfr oedd democrateiddio mathemateg a gwyddoniaeth trwy eu cyflwyno mewn dull difyr i gynulleidfa eang o ddarllenwyr.

Wrth gyflwyno mathemateg yn y ffordd hon, ei nod oedd cysylltu'r fathemateg â phrofiadau ymarferol bob dydd ei ddarllenwyr, yn union fel y gwnaeth Recorde. Tanlinellodd Hogben bwysigrwydd meistroli'r hyn y mae'n cyfeirio ato fel 'the grammar of size and order'. Hynny yw, gall dealltwriaeth o'r ffordd y mae rhifau'n cydweithio fod yn arf pwerus i'n galluogi i fod yn feistri ar ein bywydau ac i gyfrannu'n llawn mewn trefn ddemocrataidd. Mae'n nod aruchel ac yn un sy'n llywio cyfeiriad y 600 a mwy o ddudalennau sydd yn *Mathematics for the Million*.

Cafodd Hogben yrfa academaidd ddisglair fel biolegydd a wnaeth ddefnydd cynyddol o fathemateg yn ei ddadansoddiadau. Roedd wedi bod yn frwd erioed dros boblogeiddio'r gwyddorau (gan gynnwys mathemateg) ac roedd yn ddirmygus o fathemategwyr a oedd, yn ei eiriau ei hun, 'inclined to keep the high mysteries of their Pythagorean brotherhood to themselves'. Denodd ei lyfrau gynulleidfa ryngwladol eang ac fe'u hailargraffwyd droeon dros nifer o flynyddoedd.

Ychwanegodd Hogben benodau newydd at *Mathematics for the Million* yn ystod ei fywyd ac adargraffwyd y gwaith fel llyfr clawr meddal yn 2017. Mae'r cyflwyniad i'r llyfr newydd hwnnw yn nodi mai Bertrand Russell (gweler Pennod 7) oedd dewis cyntaf y cyhoeddwyr ar gyfer llunio llyfr poblogaidd ar fathemateg ond barnai Hogben y byddai lefel y fathemateg yn rhy syml i Russell a, beth bynnag, roedd Hogben eisoes wedi ysgrifennu ei lyfr. Tybed beth oedd barn Hogben am Russell? Ai fel un o 'uwch-offeiriaid' y byd mathemategol? Gwerthwyd dros hanner miliwn o gopïau o *Mathematics for the Million* rhwng 1936 a 2016. Yn ogystal â hoffi'r glec yn nheitl y llyfr, roedd Hogben hefyd yn tybio bod y teitl yn cyfleu rhywbeth am y gynulleidfa darged.

Ganed Hogben yn 1895 yn Southsea, lle gwyliau glan môr yn Portsmouth, swydd Hampshire, yn un o chwech o blant Thomas Hogben a Margaret Alice Prescott, aelodau gyda'r Plymouth Brethren, y tad yn efengylwr brwd. Bu farw'r tad pan oedd Lancelot yn 11 oed a symudodd y teulu i Stoke Newington yn Llundain i ardal teulu'r fam. Yno yn 1907 y dechreuodd Lancelot yn ddisgybl yn ysgol uwchradd Tottenham, un o'r ysgolion gramadeg cymysg (bechgyn a merched) cyntaf ym Mhrydain. Mae'n debyg hefyd iddo fanteisio ar adnoddau llyfrgell gyhoeddus Stoke Newington, profiad a'i cynorthwyodd i ennill ysgoloriaeth i astudio gwyddoniaeth yng Ngholeg y Drindod, Caergrawnt, lle y graddiodd yn 1916. Roedd sicrhau lle fel myfyriwr yng Ngholeg y Drindod yn y dyddiau hynny yn dipyn o gamp, yn arbennig i rywun o deulu cyffredin, difreintiedig.

Gallwn dybio y bu ei gyfnod cynnar, yn hogyn bach ac yn ei arddegau, yn gryn ddylanwad ar Lancelot. Nid oedd syndod iddo ymwrthod â sêl grefyddol efengylaidd ei dad ac efallai hefyd iddo gael ei ddylanwadu yn Stoke Newington gan syniadau rhyddfrydol a chwyldroadol Richard Price, a fu'n weinidog yn eglwys Undodaidd Newington Green ganrif a hanner ynghynt (gweler Pennod 4).

Erbyn iddo gyrraedd Caergrawnt roedd Hogben eisoes yn sosialydd o argyhoeddiad. Newidiodd enw Cymdeithas Fabian y brifysgol i'r Gymdeithas Sosialaidd ac aeth ymlaen i fod yn aelod gweithgar o'r Blaid Lafur Annibynnol (Independent Labour Party). Dylanwadwyd arno ymhellach gan syniadau gwrthgyfalafol rhai fel y Marcsydd Fictoraidd William Morris a'r sosialydd Robert

Owen o'r Drenewydd. O ran ei grefydd, ymunodd â'r Crynwyr, a bu'n aelod o'r mudiad hwnnw tan 1958 pan ddaeth i'r casgliad mai dyneiddiaeth wyddonol oedd gwir sail ei gred.

Tra'n fyfyriwr yn ystod y Rhyfel Byd Cyntaf gwirfoddolodd i weithio gyda'r gwasanaeth ambiwlans, gan gynnwys cyfnod gyda'r Groes Goch yn Ffrainc, gwaith a fyddai wedi ei eithrio rhag cael ei alw i'r fyddin. Unwaith i gonsgripsiwn ddod yn ddeddf gwlad yn 1916, roedd yn nodweddiadol o Hogben iddo benderfynu rhoi'r gorau i'w waith gwirfoddol gan gyhoeddi ei fod yn wrthwynebydd cydwybodol ac fe'i carcharwyd am gyfnod yn Wormood Scrubs.

Ar ôl graddio, a gwneud peth gwaith darlithio ym mhrifysgolion Llundain, symudodd i wneud ymchwil ar anifeiliaid yng Nghaeredin ac ymlaen wedyn i Brifysgol McGill yng Nghanada, cyn ei benodi yn 1927 fel Athro Swoleg ym Mhrifysgol Cape Town, De Affrica. Yno y dechreuodd astudio llyffantod lleol, gwaith a fyddai'n arwain erbyn y 1930au hwyr at ddatblygu prawf beichiogrwydd ar gyfer menywod. Defnyddiwyd 'prawf Hogben' am ddegawdau ar hyd a lled y byd fel un o brif brofion beichiogrwydd.

Er iddo fod wrth ei fodd â'i waith yn Ne Affrica, gwrthwynebai bolisi apartheid y llywodraeth yn ddigyfaddawd a symudodd yn 1930 i swydd fel Athro Bioleg Cymdeithas yn y London School of Economics. Yno y gwnaeth gyfraniadau pwysig ym myd geneteg, gan wneud safiad cadarn yn erbyn mudiad ewgenig Prydain: gwyddonwyr a oedd yn dadlau o blaid Darwiniaeth Gymdeithasol a pholisïau fel ysbaddu pob dyn a oedd yn ennill llai na £400 y flwyddyn – er lles yr hil. Sylw Hogben ar hyn oedd ei fod yn ennill £350 y flwyddyn ar y pryd a 'had already committed paternity'. Darwiniaeth Gymdeithasol, fe gofiwn, oedd sail Hitler i gyfiawnhau ei raglen buro.

Cydnabuwyd gwaith Hogben yn 1936 trwy ei ethol yn FRS. Symudodd yn ôl i'r Alban yn 1937 fel Athro Astudiaethau Natur yn Aberdeen, lle y datblygodd ddiddordeb hefyd mewn ieithyddiaeth.

Yn ystod yr Ail Ryfel Byd gorfodwyd Hogben i weithio fel ystadegydd i'r fyddin. Parhaodd i ddangos ei anfodlonrwydd drwy wrthod gwisgo lifrai wrth ei waith. Roedd tuedd Hogben i beidio â chydymffurfio yn gweithio yn ei erbyn fel academydd, gyda rhai yn dibrisio'i allu oherwydd ei ddaliadau y tu allan i'w swydd.Yn ystod y cyfnod hwn y dechreuodd ar waith ystadegol yn dadansoddi effaith cyffuriau gwrthfiotig ar buteiniaid Napoli. Dangosodd y gall gorddefnydd o'r cyffuriau ysgogi bacteria i newid eu ffurf gan esblygu yn y pen draw yn *superbugs* sydd mor gyfarwydd i ni heddiw, yn arbennig bacteria MRSA.

Symudodd Hogben i Brifysgol Birmingham yn 1942, yn gyntaf fel Athro Swoleg ac yna, hyd iddo ymddeol yn 1961, fel Athro ystadegaeth feddygol. Treuliodd gyfnod byr wedi hynny (1963–5) fel is-ganghellor prifysgol newydd Guyana, De America, ar wahoddiad pennaeth y wlad a oedd yn awyddus i dderbyn cyngor ac arweiniad gan sosialwyr adnabyddus wrth i'r wlad fentro i sefydlu cyfleoedd addysg uwch ar gyfer ei phobl ifanc.

Drwyddi draw cawn ddarlun o berson egwyddorol ac egnïol, yn fwrlwm o syniadau ac yn barod i geisio cael y maen i'r wal.

Dros y blynyddoedd, datblygodd Hogben ddiddordeb arbennig yn y Gymraeg, a dylanwadwyd arno o sawl cyfeiriad i ddatblygu'r diddordeb hwnnw ymhellach. Mae'n bosibl mai'r tro cyntaf iddo ddechrau dod yn ymwybodol o'r Gymraeg fel iaith fyw oedd yn ei garwriaeth gydag Enid Charles o Ddinbych. Yn rhugl ei Chymraeg, roedd Enid yn fathemategydd ac yn ystadegydd a oedd yn arloesi mewn demograffeg ac ystadegau poblogaeth – doniau a oedd yn gymharol anarferol ymysg menywod yn y cyfnod hwnnw. Roedd hithau hefyd yn sosialydd brwd ac yn ffeminydd arloesol, rhinweddau a oedd wrth fodd Hogben. Priododd y ddau yn 1918 a chawsant ddau fab a dwy ferch. Enwyd eu plentyn cyntaf yn Sylvia, ar ôl Sylvia Pankhurst (1882–1960), sosialydd adain chwith a ymgyrchodd yn frwd dros hawliau menywod, ac yn ferch i'r swffragét Emmeline Pankhurst.

Daeth perthynas Lancelot ac Enid dan straen yn ystod yr Ail Ryfel Byd dros gyfnod pan oedd gwaith y ddau wedi'u cadw ar wahân. Erbyn hynny roedd Hogben ym Mhrifysgol Birmingham a cheisiodd adfywio'r briodas drwy brynu tŷ yn Nyffryn Ceiriog, sir Ddinbych, ardal o fewn cyrraedd hwylus i ganolbarth Lloegr. Ond doedd dim yn tycio a daeth eu perthynas i ben yn 1953.

Roedd Hogben eisoes wedi datblygu diddordeb mewn ieithoedd ac ieithyddiaeth, roedd yn gallu siarad ieithoedd Sgandinafia, wedi golygu llyfr am ddatblygiad iaith, ac wedi cynorthwyo i lunio iaith ryngwladol newydd, a enwodd yn 'Interglossa', i gymryd lle Esperanto i hybu cyd-ddealltwriaeth rhwng pobloedd y byd. Ond y Gymraeg a'i denodd fwyaf, ei gysylltiad â Dyffryn Ceiriog eisoes yn abwyd, ac aeth ati o ddifrif i geisio'i meistroli.

Yn 1957 priododd Jane Roberts (née Evans), a oedd wedi ymddeol fel pennaeth ysgol gynradd yn Nyffryn Ceiriog. Yn ôl yr hanes, roedd Hogben wedi taro i mewn i'r swyddfa bost leol i brynu stampiau, gan ymbalfalu i wneud hynny yn y Gymraeg yr oedd wedi'i dysgu o lyfrau. Digwyddai Jane fod yn sefyll gerllaw. Wrth glywed ymdrechion Hogben, dywedodd, 'And who is this, murdering my language?' Bu'r ddau'n byw yn hapus iawn yn Nyffryn Ceiriog am 18 mlynedd hyd nes i Jane farw yn 1974 ac i Hogben farw'r flwyddyn ganlynol yn 79 mlwydd oed yn Ysbyty Maelor Wrecsam.

Beth, tybed, oedd ymateb trigolion cyffredin Dyffryn Ceiriog i bresenoldeb 'Proffesor Hogben' yn eu plith, dyn a oedd wedi dysgu'r Gymraeg yn llwyddiannus iawn ond yn ei siarad ag acen Seisnig gref, ac a oedd yn cael syniadau digon anghyffredin yn ei ben o dro i dro?

Un a ddaeth yn ffrindiau â Hogben oedd yr awdures Irma Chilton a oedd yn byw ym mhen uchaf Dyffryn Ceiriog. Mae ei mab, Dafydd Chilton, yn ei gofio fel dyn tal, yn fywiog ac yn brysur bob tro, rhywun nad oedd yn segura yn ei ymddeoliad. 'Roedd ganddo drwyn go amlwg', meddai Dafydd, 'ac roedd ei wallt, a hwnnw'n eithaf du o hyd, wedi teneuo'n o arw ar ei gorun ac wedi cilio oddi ar ei dalcen, fyddai'n crychu'n aml gan mor brysur oedd ei wyneb.' Mae Dafydd Chilton hefyd yn cofio iddo osod ambell gomisiwn anarferol ei natur i grefftwyr y fro. Mae'n debyg, er enghraifft, iddo ofyn i saer lleol lunio desg iddo a honno i gynnwys daliwr arbennig i'w wydryn whisgi. Ar achlysur arall, comisiynodd Trefor Lloyd, adeiladwr lleol, i walio'r gerddi yn nau ben y tŷ, un ar siâp hanner cylch a'r llall ar siâp pîg, er mwyn creu'r syniad o 'gwch'. Bu'n rhaid i'r adeiladwr ail-wneud y gwaith pan welodd Hogben fod y 'cwch' yn wynebu'r cyfeiriad anghywir – roedd y Proffesor am iddo hwylio i fyny yn hytrach nag i lawr y dyffryn!

Parhaodd Hogben i osod targedau anarferol ac ychydig yn ecsentrig i'w hun mewn meysydd eraill hefyd. Yn 1967 cyhoeddodd nofel anghonfensiynol o dan y teitl *Whales for the Welsh*. Yn y llyfr hwn, un sill sydd i bob gair, sy'n gryn gamp. Os sylwch yn ofalus, mae pob gair yn y frawddeg ddiwethaf hefyd yn unsill, ac roedd honno'n dipyn o gamp ynddo'i hun, ond meddyliwch mewn difrif am lunio nofel gyfan yn cynnwys dim ond geiriau unsill.

Wrth feddwl am ei waith ar y llyfr, dywedodd Hogben, 'As I got into my stride, I found that the effort to write without recourse to polysyllables generated a style of its own, and one with an almost inescapably ironical flavour.' Mae'n llyfr doniol iawn, a ddisgrifir fel 'a children's book for adults', y stori'n disgrifio hynt a helynt Llew Smith, Aelod Seneddol: 'The Start of the Whole Thing was a great Speech in the House, and the Man who made it was Llew Jones MP for a small Town in North Wales.'

Mae tafod yr awdur yn sownd yn ei foch, er nad yw'r hiwmor yn 'wleidyddol dderbyniol' bob tro i'n clustiau modern ni. Wrth ystyried natur anghonfensiynol y llyfr, ei thema gwrthsefydliadol, a'i gefnogaeth agored i'r ymgyrchoedd dros y Gymraeg a nodweddai'r cyfnod, mae Dafydd Chilton yn rhyw dybio efallai fod ei fam wedi cael peth dylanwad ar y Proffesor ac ar gynnwys y llyfr. Wrth dynnu at y diwedd mae'n tynnu rhai casgliadau sy'n adlewyrchu'r cyfnod, gan gynnwys:

> [T]he Welsh like the rest of us have a Right to their own Line of Talk, the more so when made to fill up Forms in Words they do not use in the Home. If some go to Jail to make a Fuss when forced to do so, we should all help them to get out.

Mae ei dafod yn parhau yn ei foch wrth ychwanegu sylwadau mewn atodiad i'r llyfr:

> It is the hope of the Author (and his Publisher) that the Secretary of State for Wales and the Minister of State for Culture will urge on the appropriate Boards

the desirability of adopting *Whales for the Welsh* as an obligatory set book in the English Literature paper of the General Certificate of Education at O level.

Mae tudalen flaen fy nghopi i o *Mathematics for the Million*, a argraffwyd yn 1957, yn cynnwys yr is-deitl *A Popular Self Educator*, sy'n crisialu bwriad Hogben i roi arweiniad i bawb, gan gynnwys rhai nad oedd wedi cael manteision coleg. Mae tudalen flaen argraffiad newydd 2017 yn cynnwys is-deitl cwbl wahanol, sef *How to Master the Magic of Numbers*. Mae'n siwr y byddai Hogben wedi gwrthwynebu'r newid yn chwyrn, ac wedi gwgu at ei gyfeiriad at hud a lledrith rhifau a'r awgrym o gamu'n ôl i gyfnod cyfriniaeth y Pythagoreaid a'r ofergoeliaeth a ddilynodd hynny. Yng ngeiriau plaen a digyfaddawd Lancelot Hogben ei hun:

> whenever the culture of a people loses contact with the common life of mankind and becomes exclusively the plaything of a leisure class, it is becoming a priestcraft. It is destined to end, as does all priestcraft, in superstition.
> (*Mathematics for the Million*, argraffiad 1957, t. 19)

Yn ei lyfr, mae Hogben yn dadlau mai prin oedd y datblygiadau mathemategol newydd yng Ngwlad Groeg erbyn tua'r flwyddyn 300 CC a bod ofergoeliaeth wedi dechrau ei meddiannu. I gefnogi'i ddadl, ac i danlinellu ei wrthwynebiad i gysylltu mathemateg gyda dewiniaeth ac ofergoeliaeth mae'n cyfeirio at enghraifft o 'sgwâr hud' arbennig y mae ei wreiddiau yng Ngwlad Groeg ac a ailymddangosodd yn yr Eidal yn y 15fed ganrif:

1	15	14	4
12	6	7	9
8	10	11	5
13	3	2	16

Mae'r sgwâr hwn yn cynnwys pob rhif o 1 hyd at 16. Cyfanswm y rhifau ym mhob rhes, pob colofn, a'r ddau groeslin ydy 34, ac mae'r rhif hwnnw i'w weld mewn patrymau eraill yn y sgwâr hefyd – er enghraifft, cyfanswm y pedwar rhif ar gorneli'r sgwâr ydy 34, a chyfanswm y pedwar rhif yng nghanol y sgwâr ydy 34 hefyd. Hud a lledrith? Go brin! (*Mathematics for the Million*, argraffiad 1957, t. 180; adargraffiad 2017, t. 172)

Roedd sgwariau hud yn destun rhyfeddod, gymaint felly nes iddynt gael eu cysylltu â phwerau goruwchnaturiol. Erbyn iddynt gyrraedd yr Eidal roedd y pwerau hyn yn cynnwys amddiffyn pobl rhag afiechyd. Mewn un enghraifft o'r 16eg ganrif, cafwyd y sgwâr fel addurn ar blât arian er mwyn amddiffyn perchennog y plât rhag y pla du. Daeth mathemateg yn arf i hyrwyddo ofergoeliaeth a ffug-grefyddau.

Fel Recorde (Pennod 1), roedd Hogben yn ddyn o egwyddor, yn barod i ymladd ei achos heb boeni am unrhyw anfanteision materol personol. Egwyddorion sosialaeth oedd ei brif sail a'i gred y gallai mathemateg agor y drws i bobl gyffredin ddod yn feistri dros eu tynged. Roedd ei gysylltiadau â Chymru a'r Gymraeg wedi dyfnhau'i ymdeimlad o anhegwch mewn cymdeithas ac wedi rhoi min arbennig ar ei fywyd a'i waith.

Cyhoeddwyd *Mathematics for the Million* gyntaf tua'r un amser ag yr oedd Hogben yn ymgeisydd i'w dderbyn yn FRS gan y Gymdeithas Frenhinol. Roedd yn gyndyn ar y pryd i ddatgelu ei fod yn paratoi'r llyfr gan iddo dybio na fyddai'r gymdeithas yn rhoi fawr o fri ar waith 'poblogaidd'. Yn ôl Hogben: 'its hierarchy frowned formidably on what they regarded as science popularisation'. Erbyn heddiw mae'r gymdeithas yn mynd allan o'i ffordd i wobrwyo llyfrau gwyddoniaeth poblogaidd. Daeth tro ar fyd!

Pos yr argraffydd

Dyma un o ymarferiadau Lancelot Hogben i ddangos grym algebra:

Wrth ddefnyddio teip mawr mae'r argraffydd yn gallu cynnwys 1,200 o eiriau ar un dudalen. Wrth ddefnyddio teip bach mae'n gallu codi hynny i 1,500 o eiriau ar dudalen. Mae gan yr argraffydd erthygl 30,000 o eiriau i'w hargraffu a rhaid cyfyngu'r erthygl i 22 tudalen. Faint o'r tudalennau fydd mewn teip bach?

(Mae modd ateb y pos heb ddefnyddio algebra ond gellir cyrraedd yr ateb ynghynt wrth gyflwyno ychydig o symbolau.)

9 O BA LE Y DAW DOETHINEB?

Job 28:20

Cwmsychbant, Ceredigion

Hafaliad Schrödinger

$$H\psi = E\psi$$

Evan James Williams (1903–1945). *Trwy ganiatâd Archif Niels Bohr.*

Cofeb ar fan geni E. J. Williams.

Ar raddfa o 1 i 10, beth yw'ch barn o'r llyfr hwn hyd yma? Dewiswch 1 os nad ydych yn ei hoffi o gwbl a 10 os ydych o'r farn mai hwn yw llyfr gorau'r ganrif. Mae'n debyg mai rhif tua'r canol fydd eich dewis, 6 neu 7, efallai, os ydych yn cael ychydig o flas ar y llyfr, a 3 neu 4 os ydych wedi dechrau hen flino arno ac yn edrych ymlaen at ei orffen. Mae'n bosibl hefyd eich bod yn pendroni rhwng dau rif – bod y llyfr yn haeddu ychydig yn fwy na 6 ond eto heb gyrraedd 7 – rhif fel 6½ neu 6.8, efallai. Ond, na, thâl hynny ddim, mae'r drefn yn caniatáu rhifau cyfan yn unig a rhaid penderfynu ar 6 neu 7. Go drapia hi!

Rydym yn defnyddio rhifau cyfan wrth gyfrif pethau – nifer y bobl sydd wedi pleidleisio mewn etholiad, neu nifer y trenau sy'n teithio'n ddyddiol o Gaergybi i Gaerdydd. Byddwn yn defnyddio ffracsiynau a degolion wrth fesur – pwys a hanner o fenyn, er enghraifft, neu 10.2 eiliad i redeg can metr. Gallwn hefyd fesur yn fanylach na hynny. Meddyliwch am ddau redwr, y ddau wedi cwblhau can metr mewn 10.2 eiliad ond bod y camera'n dangos bod un ohonynt wedi ennill o drwch blewyn. Wrth ddefnyddio cloc cywirach gwelwn fod y cyntaf wedi cwblhau'r ras mewn 10.21 eiliad a'r ail mewn 10.23 eiliad. I bob pwrpas ymarferol, does dim angen bod yn gywirach na hynny mewn ras redeg, a byddai angen cloc arbennig o dda i fesur yn fanylach, ond, mewn theori, gallwn fesur amser i ba bynnag fanylder sydd ei angen. Mae'r un peth yn wir am fesuriadau eraill: mae modd mesur pwysau neu bellter neu gyflymder neu unrhyw un o'r mesuriadau eraill i unrhyw fanylder.

Un o'r mesuriadau eraill hynny yw egni. Faint o egni sydd gennych y peth cyntaf yn y bore? Faint sydd gennych erbyn amser cinio? Faint sydd gennych erbyn amser gwely? Mae lefel eich egni yn amrywio yn ystod y dydd, ychydig yn uwch erbyn i chi fwyta tamaid o frecwast ac yn newid o eiliad i eiliad wedi hynny wrth i'r diwrnod ymestyn. Mae egni'n newid yn gyson, i fyny ac i lawr, heb gael ei gyfyngu'n dwt i lefelau penodol. Ni fyddai'n gwneud llawer o synnwyr i labelu lefelau egni mewn deg bocs o 1 i 10. Byddwch efallai'n dymuno disgrifio'ch egni erbyn canol y bore fel un sydd wedi cyrraedd ychydig yn fwy na lefel 5 ond yn llai na 6, sy'n chwalu darlun twt y bocsys.

Nid yw'r syniad o egni fel mesur sy'n codi ac yn disgyn yn llyfn yn peri unrhyw drafferth i ni, a bu'n rhan naturiol hefyd o'r ffordd yr aeth mathemategwyr a ffisegwyr ati i ddadansoddi'r byd o'n cwmpas. Meddyliwch, er enghraifft, am waith Isaac Newton wrth iddo geisio egluro symudiadau'r planedau a chael ei ysbrydoli, yn ôl yr hanes, wrth sylwi ar afal yn disgyn o goeden yn ei ardd. Cyn i'r afal ddisgyn, mae'n hollol lonydd ac yn ddiegni ond wrth iddo gyflymu mae ei egni symud hefyd yn cynyddu'n ddi-dor hyd nes iddo fwrw'r llawr. Nid yw egni'r afal yn neidio'n sydyn o lefel i lefel wrth symud, mae'r newid egni yn digwydd mewn un symudiad llyfn. Dyna natur pethau, dyna natur egni, ac mae'r syniad hwnnw am egni wedi'n caniatáu i gyflawni gwyrthiau yn y byd sydd ohoni, gwyrthiau fel anfon rocedi i lanio ar y lleuad a lloerennau i deithio i'r blaned Mawrth, a gwyrthiau rydym bellach yn eu cymryd yn ganiataol fel gyrru mewn car neu drên, neu ddefnyddio peiriant golchi dillad. Mae'r cyfan yn dibynnu ar egni, a hwnnw'n gallu newid yn llyfn i fyny ac i lawr dros amser.

Y darlun clasurol hwnnw fu'n sail i'n syniadau am wyddoniaeth, yn arbennig am ffiseg, am ddwy ganrif o gyfnod Newton yn yr 17eg ganrif hyd at gychwyn yr 20fed ganrif. Erbyn diwedd y cyfnod hwnnw roedd gwyddonwyr wedi dechrau troi eu sylw at ffiseg yr atom, gan geisio canfod cyfrinachau'r pethau bach hynny sy'n ffurfio'r byd a phopeth sydd ynddo ond sy'n rhy fychan i ni eu gweld. Daeth enwau newydd i'n geirfa wrth i wyddonwyr sôn am electron a phroton, niwtron a photon a phob math o 'on-au' eraill, y cyfan yn ronynnau bach sy'n ffurfio atomau, fel hydrogen, ocsigen a charbon, a'r atomau hynny yn eu tro yn dod at ei gilydd i ffurfio moleciwlau 'syml', fel dŵr (sy'n gyfuniad o hydrogen ac ocsigen), neu foleciwlau 'cymhleth', fel DNA, sy'n unigryw i bob un ohonom.

Roedd arbrofion ffisegwyr ar atomau yn dangos rhyfeddodau mawr nad oedd modd eu hegluro ar sail y darlun clasurol. Doedd electron, er enghraifft, ddim fel petai'n symud yn dwt ac yn daclus fel afal Newton. Yn groes i'r darlun clasurol, roedd yn ymddangos nad oedd egni electron mewn atom yn gallu newid yn ddi-dor. I'r gwrthwyneb, roedd hi'n ymddangos bod egni'r electron yn cael ei gyfyngu i un o nifer o lefelau, yn union fel y lefelau o 1 i 10 a ddefnyddioch i fynegi'ch barn am y llyfr hwn. Gallai electron fod ag egni ar lefel 5 un eiliad ac yna godi yn sydyn i lefel 8 yr eiliad nesaf, a gwneud hynny heb symud yn llyfn o 5 i 8. Yn yr un modd, gallai fod ar lefel 9 un eiliad ac yna ddisgyn ar amrantiad i lefel 2. Roedd y ffenomenon yn gwbl ddieithr i wyddonwyr ac yn groes i holl fframwaith ffiseg y cyfnod.

Wrth i ddealltwriaeth a phrofiad yr arbrofwyr ddatblygu, roedd pwysau ar greu mathemateg wahanol er mwyn gallu disgrifio'r byd arbennig hwn. Nid oedd hafaliadau clasurol Newton yn dal dŵr ym myd yr atom: roedd angen iaith newydd a hafaliadau newydd er mwyn ceisio disgrifio'r cyfan.

Cyfrannodd nifer o ffisegwyr a mathemategwyr at ddatblygu ffordd newydd o ddehongli a deall. Ddigwyddodd hynny ddim dros nos ac mae hanesyn am Enrico Fermi (1901–1954), un o nifer a gyfrannodd at y gwaith, yn dweud cyfrolau. Roedd Fermi, ffisegydd o'r Eidal, wedi mynychu darlith mewn cynhadledd ryngwladol ar y damcaniaethau newydd. Ar ddiwedd y ddarlith, gofynnodd un o'i gyfeillion iddo sut aeth pethau yn y ddarlith. 'Wel', meddai Fermi, 'roeddwn wedi drysu braidd cyn mynd i'r ddarlith. Erbyn diwedd y ddarlith roeddwn yn parhau i fod mewn dryswch ond bod y dryswch hwnnw ar lefel gymaint yn uwch.'

Mae'r dryswch yn parhau hyd heddiw, gan nad yw'r fathemateg newydd na'r ffiseg newydd yn egluro pob dim, ond mae'n sicr bod y dryswch ar lefel gymaint yn uwch erbyn hyn a llawer o'r dryswch cychwynnol wedi diflannu wrth i'r cymylau glirio'n raddol.

Yr allwedd i'r clirio hwnnw yw hafaliad newydd, hafaliad sydd yr un mor bwysig heddiw ag oedd hafaliadau Newton yn 1687, pan gyhoeddodd yntau ei *Principia*. Mae pwysigrwydd hafaliadau Newton yn aros o ran dadansoddi symudiadau pethau 'mawr' – awyren neu roced neu'r lleuad, er enghraifft – ond unwaith inni geisio mynd i fyd yr atom, yna mae angen mathemateg newydd sy'n cael ei chynrychioli gan hafaliad Schrödinger. Schrödinger yw Newton yr atom.

I gydfynd â'r hafaliad newydd, cyfeirir at y ffiseg newydd fel 'ffiseg y cwantwm' a'r fathemateg fel 'damcaniaeth y cwantwm'. A pham y gair 'cwantwm'? Mae'r gair yn cyfleu'r syniad nad yw egni ar lefel atom yn fesur di-dor; yn hytrach, mae egni fel petai'n bodoli ar wahanol lefelau ac mae'n gallu neidio ar amrantiad o un lefel i'r llall. Y gwahaniaeth rhwng dwy lefel yw'r 'cwantwm'. Mae'r gair wedi cael ei herwgipio erbyn hyn a'i ddefnyddio mewn cyd-destunau eraill, a phobl yn cyfeirio at 'naid cwantwm' (*quantum leap*) am unrhyw gynnydd sydyn, neu ddatblygiad o bwys wrth i rywun gael fflach o weledigaeth.

Beth felly yw hafaliad Schrödinger? A phwy oedd y Schrödinger hwn? Dyma'r hafaliad:

$$H\psi = E\psi$$

Ar yr olwg gyntaf, mae'r hafaliad yn edrych yn syml, yn dwyllodrus o syml. Serch hynny, yr hafaliad byr hwn sy'n crynhoi'n fathemategol y weledigaeth newydd o natur byd yr atom. Hwn yw'r hafaliad sy'n disodli hafaliadau Newton ym microfyd y moleciwl.

Yn yr hafaliad hwn, cynrychiolir cyflwr y system, boed yn atom neu'n foleciwl neu'n ronyn unigol, gan y symbol ψ (y llythyren Roegaidd psi) ac egni'r system yn y cyflwr hwnnw gan y rhif E. Mae'r symbol H yn ymgorffori disgrifiad o hanfod y system – beth yw'r gronynnau sydd ynddo a natur yr adweithio rhyngddynt. Mae H yn gymhleth, hyd yn oed ar gyfer atom syml fel hydrogen, ac mae'n affwysol o gymhleth ar gyfer system sy'n cynnwys nifer o ronynnau, fel moleciwl DNA, er enghraifft. Y gamp yw ceisio datrys yr hafaliad a chanfod trwy hynny beth yw'r lefelau egni E sy'n bosibl. Ydy, mae hyn ychydig yn anoddach na syms adio a thynnu, ond cryfder yr hafaliad yw ei fod yn gosod sail fathemategol sy'n cadarnhau canlyniadau arbrofion y ffisegwyr. Mae'r theori yn clymu'n dynn â'r arbrofion i greu darlun dibynadwy a chredadwy.

Nid dros nos y daeth yr hafaliad hwn i'r golwg. Mae'n cael ei enwi ar ôl Erwin Schrödinger (1887–1961), ffisegydd o Awstria, ond roedd nifer o wyddonwyr a mathemategwyr eraill yng nghanol bwrlwm blynyddoedd cynnar yr 20fed ganrif wrth i ffurf y ddamcaniaeth ddatblygu, rhai fel Werner Heisenberg (1901–1976) o'r Almaen.

Mae Heisenberg yn fwyaf enwog am ddangos, yn fathemategol, nad oes modd mesur union leoliad electron, er enghraifft, ac, ar yr un pryd, fesur ei union gyflymder. Nid dweud yr oedd Heisenberg nad oedd y dulliau mesur yn ddigon cywrain a bod angen eu gwella. Mae ei ddamcaniaeth yn ddyfnach na hynny. Dweud y mae nad yw byth yn bosibl, pa mor dda bynnag ydy'r offer mesur, i wybod union leoliad ac union gyflymder electron ar yr un pryd. Y gorau y mae modd ei wneud yw cyfrifo'r tebygolrwydd bod electron yn y fan a'r fan a bod ei gyflymder yn beth a'r peth. Cyfeirir at ei ddamcaniaeth fel 'egwyddor ansicrwydd Heisenberg' (*Heisenberg uncertainty principle*).

Ar ben hynny roedd llawer o drafod ar beth oedd union ystyr y fathemateg – beth oedd y realiti y tu ôl i'r hafaliadau. Er enghraifft, dadleuai rhai ffisegwyr fod electron yn ronyn go iawn yn gwibio hwnt ac yma fel pelen snwcer, tra bo ffisegwyr eraill yn dadlau ei fod yn don fel tonnau sŵn wrth iddynt deithio drwy'r awyr. Daethpwyd i'r casgliad paradocsaidd ymhen hir a hwyr fod electron weithiau'n ymddwyn fel gronyn ac weithiau'n ymddwyn fel ton. I'r mathemategydd nid yw'r ddadl hon nac yma nac acw: rhith yw electron i'r mathemategydd, gair cyfleus i ddisgrifio endid o ryw fath sydd weithiau'n ymddwyn fel pe bai'n ronyn ac weithiau'n ymddwyn fel pe bai'n don. Does dim anhawster na pharadocs yn hynny: mae'r paradocs ond yn codi wrth inni geisio disgrifio'r endid mewn termau concrit fel 'gronyn' a 'thon'.

Canlyniad yr holl drafod rhwng ffisegwyr a mathemategwyr oedd asio'r cyfan yn un theori gyflawn y cyfeirir ati fel 'dehongliad Copenhagen', gan mai yn y ddinas honno, o dan arweiniad y ffisegydd Niels Bohr, y datblygwyd dehongliad sydd wedi sefyll prawf amser. Nid 'dehongliad Copenhagen' yw diwedd y stori, gan nad yw'r stori byth yn dod i ben, ond roedd bwrlwm y cyfnod yn gam pwysig yn ymdrech yr hil ddynol i wella ei dealltwriaeth o gyfrinachau'r cread.

I'r bwrlwm hwn y daeth Evan James Williams (1903–1945). Cydweithiodd Williams â rhai o brif ffisegwyr ei ddydd a chyda'i farwolaeth gynnar a chreulon collodd y byd gwyddonol a Chymru ŵr o athrylith.

Cafodd Evan ei eni ym mhentref Cwmsychbant yng Ngheredigion yn 1903. Yn un o dri o frodyr, saer maen oedd ei dad ac roedd ei fam yn hanu o deulu'r Llwydiaid, yr un teulu â'r pensaer byd-enwog Frank Lloyd Wright. Mynychodd Evan ysgol gynradd Llanwenog ac yna ysgol sir Llandysul, a daeth ei allu arbennig mewn mathemateg yn amlwg yn gynnar iawn. Ei lysenw yn yr ysgol oedd 'Desin', enw a lynnodd wrtho drwy'i oes. Mae'n debyg i'r gair darddu o *decimal* a'i fod yn gysylltiedig â'i ddoniau mathemategol.

Yn ysgol Llandysul, o dan ddylanwad y prifathro William Lewis, a fu'n 'fifth wrangler' yng Nghaergrawnt (sef y pumed yn ei flwyddyn yn rhestr y rhai a raddiodd mewn mathemateg), y magodd Evan ei ddiddordeb mewn mathemateg a ffiseg. Yn 1919, yn 16 oed, enillodd ysgoloriaeth i Goleg Technegol Abertawe. Graddiodd â dosbarth cyntaf mewn ffiseg yn 1923 ac yn 1924 dyfarnwyd MSc drwy waith ymchwil iddo. Aeth ymlaen i Brifysgol Manceinion a derbyn gradd PhD yno, ac ymlaen eto i Gaergrawnt gan dderbyn PhD y brifysgol honno hefyd. Yn 1930 dyfarnwyd gradd DSc Prifysgol Cymru iddo. Roedd felly yn 'ddoctor' deirgwaith. Yn ôl yr aeth wedyn i Fanceinion fel darlithydd yn yr adran ffiseg. Yno y bu tan 1937, heblaw am fwlch o flwyddyn a dreuliodd yn gweithio gyda Bohr yn Copenhagen, cyn symud i Lerpwl i swydd uwch-ddarlithydd. Yn 1938 fe'i penodwyd yn athro ffiseg yng Ngholeg Prifysgol Cymru Aberystwyth a'r flwyddyn ganlynol cafodd ei ethol yn FRS.

Gwrthdrawiadau atomig a'r pelydrau nerthol a ddaw o'r gofod – y pelydrau cosmig – oedd prif ddiddordebau Williams ym Manceinion. Dangosodd y gwaith yma ei allu arbennig fel arbrofwr yn ogystal â disgleirdeb ei waith mathemategol. Roedd ganddo'r gallu i dreiddio i graidd problem ac i ganolbwyntio ar ei hanfodion, gan gyfuno ei ddealltwriaeth o'r ffiseg â'i feistrolaeth o'r fathemateg.

Yn ystod ei gyfnod yn Lerpwl darganfyddodd Williams y meson – gronyn cwbl newydd. Yn anffodus i Williams, roedd gwyddonwyr yng Nghaliffornia ar yr un trywydd ac am mai hwy a gyhoeddodd eu canlyniadau gyntaf, hwy hefyd gafodd y clod.

Torrwyd ar yrfa academaidd Williams gan yr Ail Ryfel Byd gan iddo gael ei alw yn 1940 i ymuno â'r Royal Aircraft Establishment yn Farnborough. Yna cafodd ei benodi'n gyfarwyddwr ymchwil gweithredol (*Operational Research*) y rheolaeth arfordirol (*Coastal Command*) a bod yn rhan o'r gwaith mathemategol a gwyddonol a fu'n allweddol i sicrhau llwyddiant Prydain yn y rhyfel. Gwrthsefyll bygythiad llongau tanfor yr Almaen oedd prif ffocws Williams ac mae'r dyfyniad hwn o'r cofnodion swyddogol ynghylch ei waith yn crynhoi pwysigrwydd ei gyfraniad: 'No individual contributed more to the defeat of the U-boat'.

Roedd diwedd y rhyfel ar y gorwel a dechreuodd Williams droi ei olygon unwaith eto at ffiseg cwantwm gwrthdrawiadau atomig. Fodd bynnag, yn 1944 cafodd ei daro'n wael ac, er iddo dderbyn llawdriniaeth, ni lwyddodd i oresgyn y canser. Ond ni fu llaesu dwylo; yn hytrach ymroddodd i gwblhau cymaint o waith ag a oedd yn bosibl o dan yr amgylchiadau tan ei farwolaeth yn ei hen gartref yng Nghwmsychbant, yn 42 oed.

Yn un o goridorau adeilad yr archif yn yr Institut yn Copenhagen a sefydlwyd gan Bohr, mae panel sy'n cynnwys lluniau'r rhai fu'n treulio cyfnodau yno yn gweithio gydag ef. Testun balchder i unrhyw Gymro yw gweld llun E. J. Williams yn eu plith. Yn yr archif y mae dros hanner cant o lythyrau rhwng Bohr a Williams, gan gynnwys gohebiaeth a gychwynnodd yn sgil y cyfnod sabothol a dreuliodd Williams yn yr Institut yn 1933–4. Amcan Williams dros y flwyddyn honno oedd cynnal gwaith arbrofol, ond ei waith damcaniaethol ar wrthdrawiadau atomig oedd cynnyrch pwysicaf ei gyfnod yn Copenhagen, yn dilyn y cyfle a gafodd i sgwrsio a thrafod yn rheolaidd gyda Bohr.

Ffrwyth y flwyddyn oedd nifer o bapurau ymchwil, yn arbennig papurau'n datblygu'r gwaith damcaniaethol. Mae'r ohebiaeth rhwng Williams a Bohr, wedi i Williams ddychwelyd i Fanceinion, yn ymwneud â sylwadau ac awgrymiadau Bohr ar fersiynau drafft y papurau. Maent yn dangos hynawsedd Bohr wrth iddo dynnu sylw'n gwrtais at wendidau a gwelliannau posibl mewn ambell fan. Mae'n amlwg bod gan Bohr feddwl uchel o alluoedd Williams, gan ddatgan mewn un geirda ar ran Williams ddiwedd 1935: 'Dr Williams' visit here gave me an opportunity of personal co-operation with him, through which I learned highly to appreciate his scientific enthusiasm and his rare combination of experimental ingenuity and penetrating insight in theoretical problems. Very great expectations as regards the future scientific activity of Dr Williams are surely justified.'

Ar ôl bwlch dros gyfnod y rhyfel, mae yna un llythyr arall yn archif Copenhagen. Yn y llythyr hwn at Bohr mae Williams yn nodi ei fod yn amgáu copi teipysgrif o'r papur y cafodd wahoddiad i'w baratoi ar gyfer cyfrol dathlu pen-blwydd Bohr yn 60 oed. Er gwaethaf y poen a'r gwendid a ddioddefodd yn ystod ei waeledd olaf, llwyddodd Williams i gwblhau'r dasg honno. Mae'r llythyr wedi'i ddyddio 25 Awst 1945. Ychydig dros fis yn ddiweddarach roedd Williams wedi marw.

Gwyddonwyr seminar Copenhagen 1933. Evan James Williams yw'r ail o'r dde yn yr ail res. Yn y rhes flaen, o'r chwith: Niels Bohr, Paul Dirac, Werner Heisenberg, Paul Ehrenfest, Max Delbrück, Lise Meitner. *Trwy ganiatâd Archif Niels Bohr.*

Pwy a ŵyr sut y byddai gyrfa Williams a'i berthynas â Bohr wedi datblygu pe bai wedi cael byw? Mae geiriau Bohr ei hun, o glywed am farwolaeth Williams, yn dyst i barch Bohr tuag ato:

> From his long stay in this institute, where he performed most admirable work, I had a deep appreciation of his remarkable ability and clearness of mind. Of course he had shown great gifts already in his earlier investigations, but it is true that we came into very close contact by common interest in the simple elucidation of fundamental problems and paradoxes of complementarity. In fact, Williams and I had planned together to write a treatise on collision phenomenon on such lines, but, due to the isolation brought about by the war, this plan never materialised.

Wrth greu mathemateg newydd a'i defnyddio i egluro rhai o ryfeddodau byd yr atom, a ydym yn nes at ddeall hanfod ein bodolaeth? A ydym, er enghraifft, yn cael ein hudo i feddwl ein bod yn nes at ganfod y 'meddwl dwyfol', yng ngeiriau'r ffisegydd a'r mathemategydd Stephen Hawking yn ei lyfr dylanwadol *A Brief History of Time*? Neu ai rhith yw'r cyfan a'n bod, wrth fentro i fyd na allwn ei weld na'i deimlo, ond yn twyllo'n hunain ein bod yn cael rhyw gip ar dragwyddoldeb ond i hynny ddiflannu o'r golwg mor sydyn ag y daeth?

Gwaith ffisegydd yw sylwi ar nodweddion y byd o'n cwmpas, gan gynnwys byd y pethau bychain, a chynnal arbrofion i fesur y nodweddion hynny. Gwaith mathemategydd yw creu model ar ffurf hafaliad sy'n ceisio rhagfynegi canlyniadau'r arbrofion. Diléit y ffisegydd yw chwarae gyda'r glo mân fel pe bai'n real; diléit y mathemategydd yw chwarae gyda phatrymau'r hafaliadau gan fod yn gwbl sicr nad ydynt yn real. Yn rhywle yn y dirgelwch hwnnw cawn gip ar ryfeddod y cread heb fod fymryn yn nes at ei ddeall yn llawn.

Crisialwyd y paradocs hwn gan y ffisegydd a'r mathemategydd Albert Einstein: 'I'r graddau y mae deddfau mathemateg yn cyfeirio at realiti, nid ydynt yn sicr; ac i'r graddau y maent yn sicr, nid ydynt yn cyfeirio at realiti.'

Yng nghanol yr holl gymhlethdod hyn, does ryfedd i Gwyn M. Lloyd ddefnyddio patrwm y gynghanedd i fynegi ei rwystredigaeth:

Rhyfeddodau

Rhannaf ffaith; rwy'n dwp, rwy'n ffôl
'Ran Ffiseg; rwy'n affwysol
Fy nylni, rwy'n ddi-ddeall;
Hynny yw, rwy'n un na all
Ymhél â'r holl ddirgelion
Ddyry her o'r wyddor hon.

Triais, do, ond bu tristáu.
Y sôn am ddimensiynau
Lawer sydd yn fy herio.
(Bu tri'n ddigonol bob tro.)
Peth yn don ac yn ronyn –
Rhoi her i synnwyr yw hyn.

Mae mwy a mwy sydd i mi'n
Rhy od i'm byd cyffredin.
Hynt cwantwm sy'n creu cwmwl.
Rwy'n ddall, yn amlwg, rwy'n ddwl.
Y maent y tu hwnt i mi;
Rhwyddach rhoi'r gorau iddi!

Y gwir amdani yw bod y cyfan y tu hwnt i bob un ohonom,
gwirionedd a fynegwyd yn awgrymog gan T. H. Parry-Williams
wrth iddo ddefnyddio'r hanesyn hwn i gloi ysgrif a luniodd yn
1963 yn trin a thrafod dirgelion yr atom:

> Wedi pendraphennu'n ysgafala fel hyn...mi hoffwn
> i ddychwelyd i'r fan lle y cychwynnais, sef yr ysgol
> elfennol, adran y plant lleiaf y tro hwn, a dweud
> stori fach, rhag ofn fod ynddi foeseg neu wers o ryw
> fath. Yr oedd yr athrawes am gael ychydig egwyl at
> ryw orchwyl arbennig, a dyma hi'n gofyn i'r *Infants*
> ysgrifennu rhywbeth neu'i gilydd. Wedi peth dwys
> ddistawrwydd fe ddaeth bachgen bach i fyny ati
> a dweud na allai ef ddim sgwennu. 'Wel', meddai
> hithau, 'os na fedri di sgwennu, gwna boitshi-poitsh'.

Ie, rydym i gyd yn *infants* ym myd yr atom.

Camp ryfeddol E. J. Williams oedd pontio byd y ffisegydd
a byd y mathemategydd, yn arbrofwr gofalus a medrus ar y naill
law ac yn ddamcaniaethwr penigamp ar y llaw arall. Rhoddodd
ychydig o drefn ar y 'poitshi-poitsh' ac nid ar chwarae bach y mae'n
cael ei ddisgrifio fel y disgleiriaf o wyddonwyr Cymru.

Pos ansicrwydd

Rydych yn taflu dau ddis cyffredin ac yn nodi'r gwahaniaeth rhwng y ddau rif. Er enghraifft, wrth daflu 1 ar un dis a 3 ar y llall rydych yn nodi 2 fel eich ateb. Beth yw'r ateb mwyaf tebygol?

10 CLIRIO'R DAGFA

Treorci

1 + 1 = 10

Donald Watts Davies (1924–2000).
Trwy ganiatâd y Labordy Ffisegol Cenedlaethol.

Cofeb ar wal llyfrgell Treorci.

Cyn 1973 roedd y daith trwy Gwm Taf i'r de o Ferthyr Tudful ar hyd yr A470 i Gaerdydd yn gallu bod yn boenus o araf wrth i'r ffordd ymlwybro o bentref i bentref ar hyd y cwm. Ar yr oriau brig, mater o symud a stopio, symud a stopio fyddai hi. Agorwyd y ffordd osgoi newydd yn 1973 ac mae'r traffig yn llifo'n llawer cyflymach erbyn hyn ar hyd y ddwy lôn i'r gogledd a'r ddwy i'r de.

Serch hynny, mae yno dagfeydd traffig o dro i dro ar yr A470 newydd, yn arbennig os oes damwain wedi bod neu gar wedi torri i lawr. Pan mae hynny'n digwydd mae'r rhesymau dros y dagfa'n gwbl glir a rhaid dangos ychydig o amynedd. Weithiau, fodd bynnag, does dim eglurhad amlwg dros y dagfa – un funud rydych wedi gorfod stopio a'r funud nesaf mae'r traffig yn cychwyn eto, a dim rhwystr amlwg i'w weld yn unman. Yr unig eglurhad bryd hynny ydy dwysedd y traffig – bod yna gymaint o geir fel nad yw'r ffordd yn gallu ymdopi. Gallai fod yn waeth fyth os oes ambell lori fawr yng nghanol y llif o geir. Roeddech yn disgwyl na fyddai'r daith o Gaerdydd i Ferthyr neu o Ferthyr i Gaerdydd yn hawdd cyn dyfodiad y ffordd ddeuol, ond mae'n dipyn o rwystredigaeth pan fyddwch yn cael eich hunan mewn tagfa ar y ffordd newydd.

Mae'r A470 rhwng Caerdydd a Merthyr, fel sawl ffordd arall ar hyd a lled Cymru, yn ddull cysylltu cyflym ac effeithlon gan amlaf. Erbyn hyn mae dulliau cysylltu â chyfrifiaduron hefyd yn bwysig. Yn 1973 pethau prin iawn oedd cyfrifiaduron mewn cartrefi ac ysgolion a'r ychydig gyfrifiaduron oedd mewn colegau, prifysgolion ac ambell gwmni mawr yn beiriannau anferth a oedd yn llenwi ystafelloedd. Yn y cyfnod hwnnw, yr unig ystyr i 'PC' oedd aelod o'r heddlu. Roedd y syniad y byddai cyfrifiaduron yn gallu anfon negeseuon e-bost at ei gilydd yn freuddwyd gwrach: doedd y gair 'e-bost' heb ei fathu.

Y sialens oedd sut i anfon negeseuon yn gyflym o un cyfrifiadur i'r llall, heb i hynny greu tagfa draffig electronig yn y gwifrau. Roedd mathemategwyr eisoes wedi datblygu dulliau dadansoddi tagfeydd traffig arferol – mae 'theori ciwio' yn cael ei defnyddio wrth gynllunio ffyrdd modern – ond roedd angen athrylith arbennig i ddatrys y broblem o osgoi tagfeydd wrth gysylltu rhwng cyfrifiaduron.

Y person hwnnw oedd Donald Davies, a sefydlodd yr egwyddorion sydd heddiw'n caniatàu inni gysylltu cyfrifiaduron gyda'i gilydd. Trwy hynny mae modd creu rhwydi cyfrifiadurol a'r rhwydi hynny'n gallu cyfathrebu â'i gilydd i greu'r 'rhyngrwyd' (*internet*) yr ydym yn ei ddefnyddio'n ddyddiol ac yn ei chymryd yn ganiataol. Y rhyngrwyd sydd yn ein galluogi i anfon negeseuon testun neu e-bost, i gwglo, i ddefnyddio Twitter a Facebook a'r cant a mil o ddulliau eraill o gyfathrebu – a hynny i gyd gan osgoi 'tagfeydd traffig'.

Yn 1973 yr agorwyd yr A470 newydd sy'n hwyluso llif traffig ar hyd Cwm Taf. Yn yr un flwyddyn, cyhoeddodd Donald Davies o Gwm Rhondda ei lyfr chwyldroadol, *Communication Networks for Computers*, sy'n hwyluso llif traffig electronig drwy'r rhyngrwyd. Ond ychydig yn fwy am gefndir Donald Davies yn gyntaf.

Roedd gwreiddiau teulu Donald Davies ym mywyd amaethyddol ardal Trefdraeth, gogledd sir Benfro. Ar ddechrau'r 1890au symudodd ei dad-cu, yn ddyn ifanc ar y pryd, i Dreorci yn y Rhondda i chwilio am waith ym mhyllau glo'r cwm. Yno y priododd ac y magodd deulu.

Gweithio fel clerc yn y diwydiant glo yn Nhreorci y bu tad Donald Davies, y teulu'n byw yn Heol Dumfries yn y dref, a mam Donald Davies yn enedigol o Portsmouth. Ganed efeilliaid i'r teulu, Donald a'i chwaer Marion, yn 1924, yng nghanol y dirwasgiad. Ni chafodd y fam unrhyw rybudd ei bod yn disgwyl efeilliaid ac, yn ôl yr hanes a adroddwyd i Donald flynyddoedd yn ddiweddarach gan 'mam-gu' (mam ei dad), doedd fawr o siâp arno fel babi newydd ei eni. Marion a aned yn gyntaf ac roedd y meddyg wedi gosod yr ail fabi i'r naill ochr a dweud bod 'un yn ddigon', gan dybio bod yr ail fabi yn farwanedig. Ond sylwodd mam-gu fod y babi'n symud ac roedd hi'n benderfynol y byddai'n cael byw. Cryfhaodd Donald er gwaetha'r rhagolygon cychwynnol.

Bu farw'r tad yn sydyn flwyddyn yn ddiweddarach a phenderfynodd y fam symud gyda'i hefeilliaid i fyw gyda'r teulu yn Portsmouth. Cafodd mam Donald waith gyda'r Swyddfa Bost yn Portsmouth, a rhoddodd hynny gyfle cynnar i'r Donald ifanc ddod yn gyfarwydd â rhwydweithiau ffôn, profiad a fyddai o gymorth iddo yn ei yrfa.

Roedd y teulu'n manteisio'n aml ar y cyfle i ddychwelyd i Gymru am wyliau, gan dreulio amser ar fferm eu perthnasau ger Trefdraeth. Roedd Donald wrth ei fodd ar y fferm, fel y cofnododd flynyddoedd wedyn:

Mae fy atgofion cynnar yn cynnwys teithio ar y trên i Drefdraeth. Roedd Mamgu a Tadcu wedi ymddeol yno ac yn byw ger tyddyn, yn agos at gastell Trefdraeth, lle roedd eu merch a'u mab-yng-nghyfraith yn ffermio. Roedd yno felin ddŵr yn malu blawd, y felin yn cynnwys olwynion gêr mawr pren. Roedd cael aros yn y tyddyn yn brofiad cyffrous iawn i ni ac roedd yr iaith ddieithr [Cymraeg, wrth gwrs] a oedd i'w chlywed ym mhobman yn rhoi blas egsotig i'r lle.

(Cyfieithwyd gennyf i o'r Saesneg wreiddiol.)

Dangosodd Donald allu arbennig o oed cynnar, gan ddisgleirio yn ei ysgol uwchradd, Portsmouth Boys Southern Secondary School, lle y taniwyd ei ddiddordeb mewn ffiseg. Cafodd ei dderbyn yn ifanc iawn i Goleg Gwyddoniaeth a Thechnoleg Ymerodrol Llundain (Imperial College of Science and Technology) i astudio ffiseg ac enillodd radd dosbarth cyntaf yno yn 1943, yn 19 oed.

Yn unol â'r drefn yn y cyfnod hwnnw, dechreuodd wedyn ar gyfnod o wasanaeth cenedlaethol, a manteisiwyd ar ei allu trwy ei benodi i weithio ar y bom atomig yn Birmingham. Ei arolygwr yno oedd Klaus Fuchs, a gafwyd yn euog yn 1950 o fod yn ysbïwr, un a oedd wedi bod yn pasio gwybodaeth gudd ymlaen i'r Undeb Sofietaidd.

Cafodd Davies gyfle wedi hynny i dreulio blwyddyn arall yn Imperial i ddyfnhau ei wybodaeth o fathemateg, a dyfarnwyd gradd dosbarth cyntaf arall iddo yn 1947, mewn mathemateg y tro hwn. Roedd y cyfuniad hwn o ddisgyblaeth meddwl y mathemategwr ar y naill law a dawn arbrofi'r ffisegwr ar y llaw arall yn sail gadarn i Davies am weddill ei yrfa.

Gyda'i gefndir yn y ddau bwnc, fe'i penodwyd i'r Labordy Ffisegol Cenedlaethol (National Physical Laboratory (NPL)), Teddington, fel aelod o dîm o dan arweiniad Alan Turing i ddatblygu ACE (Automatic Computer Engine), un o'r cyfrifiaduron cynharaf. Roedd Turing wedi treulio blynyddoedd yr Ail Ryfel Byd ym Mharc Bletchley ac fe'i cofir yn bennaf am ei waith arbennig yn cracio cod Enigma yr Almaenwyr, gwaith a gyfrannodd yn sylweddol at ddod â'r rhyfel i ben ddwy neu dair blynedd ynghynt na'r disgwyl.

Roedd Turing ar ei orau yn meddwl ar lefel uchel, gan ddibynnu ar gymorth eraill i wneud yn siŵr bod ei ddamcaniaethau'n cael eu rhoi ar waith yn ymarferol. Roedd Davies, ar y llaw arall, yn berffeithydd o ran ei waith damcaniaethu yn ogystal ag o ran ei waith arbrofi. Mentrodd i dynnu sylw Turing at rai gwendidau a gwallau yn erthygl enwog Turing sy'n datblygu'r syniad o 'gyfrifiadur'. Doedd Turing ddim yn hapus o gwbl â'r feirniadaeth, gan ddadlau mai materion bychain oedd y rhain i gyd ac roedd ganddo bethau gwell i'w gwneud na thwtio manion hwnt ac yma. Dysgodd Davies ei wers a sylweddolodd mai rhan o'r gamp yn awyrgylch NPL oedd sicrhau bod mathemategwyr a pheirianwyr yn dod at ei gilydd i gydweithio: heb fathemategwyr gallai'r cyfrifiadur newydd wneud pethau anghywir, ond heb y peirianwyr gallai fethu â gwneud dim byd o gwbl. Buan y daeth y ddau, Turing a Davies, i edmygu gwaith ei gilydd ac i gydweithio'n llwyddiannus ar ddatblygiad ACE.

Erbyn y flwyddyn ganlynol roedd Turing wedi penderfynu parhau â'i waith mewn prifysgol, a chafodd swydd ym Mhrifysgol Manceinion. Nid oedd gwaith prifysgol at ddant Davies, a oedd wedi treulio'r cyfan o'i yrfa yn gweithio yn yr NPL ar ddatblygiad cyfrifiaduron. Yn 1950 roedd yn aelod o dîm a lwyddodd i orffen y gwaith ar y cyfrifiadur ACE. Wrth ei gymeradwyo am y gwaith hwn dywedodd F. M. Colebrook, arweinydd y tîm:

> Donald Davies is one of the most brilliant young men I have ever met; outstanding not only in intellectual power but also in the range of his scientific, technical and general knowledge…He is…one of the very small number of persons who could draw up a complete logical design of an electrical computer, realise this design in actual circuitry, assemble it himself…and then programme it and use it for the solution of computational problems.

Erbyn diwedd y 1960au roedd Davies wedi troi ei sylw at sut orau i sicrhau bod cyfrifiaduron yn gallu anfon negeseuon at ei gilydd, a sut y gallai clwstwr o gyfrifiaduron, yng Nghaerdydd dyweder, rannu negeseuon gyda chlwstwr arall, yn Llundain dyweder, neu yn Efrog Newydd neu mewn unrhyw fan arall yn y byd. Cafodd weledigaeth syml ynghylch sut i wneud hynny ac arweiniodd dîm o arbenigwyr cyfrifiadurol i wireddu'r weledigaeth honno.

Erbyn heddiw rhoddir y label 'cyfnewid pacedi' (*packet switching*) ar y syniad a'r dechnoleg a'i dilynodd. Roedd ymchwilwyr yn America wedi bod yn gweithio ar bethau tebyg tua'r un pryd ond cyfyng oedd gweledigaeth y tîm hwnnw. Donald Davies yn anad neb arall sy'n cael ei adnabod fel tad bedydd y rhyngrwyd fodern, honno yr ydym i gyd yn dibynnu gymaint arni, boed ni'n ymwybodol o hynny neu beidio.

Unwaith i'r syniad 'cyfnewid pacedi' wreiddio, roedd Davies yn hapus i eraill ei ddatblygu ymhellach. Rhoddodd ei sylw wedyn at weithio ar systemau diogelwch a chreu codau diogelwch. Mae pawb sy'n defnyddio cerdyn banc yn cymryd yn ganiataol fod y cerdyn hwnnw yn gwbl ddibynadwy ac na all neb arall ei 'hacio'. Mae'r systemau a ddefnyddir i sicrhau hynny'n dibynnu'n llwyr ar fathemateg ac, yn arbennig, ar fathemateg rhifau cysefin (*prime numbers*).

> Mae rhif yn rhif cysefin os na ellir ei rannu gydag unrhyw rif arall, ar wahân i 1. Felly mae 5 ac 13, er enghraifft, yn rhifau cysefin ond nid 18, gan y gallwn rannu 18 gyda'r rhifau 2, 3, 6 a 9.

Nid yw'n hawdd penderfynu a yw rhif mawr yn rhif cysefin neu ddim. Er enghraifft, rhaid arbrofi llawer cyn darganfod nad yw 1591 yn rhif cysefin, gan y gellir ei ysgrifennu fel 37×43 a gallwn felly ei rannu gyda'r rhifau 37 a 43. Wrth i'r rhif fynd yn fwy, cymaint yn anoddach yw'r dasg o ddod i benderfyniad a yw'r rhif yn rhif cysefin neu ddim.

Dychmygwch fod gennych rif enfawr yn cynnwys rhai cannoedd o ddigidau a'ch tasg yw penderfynu a yw hwnnw'n rhif cysefin neu ddim. Gwaith oes! Hynny'n union yw cyfrinach eich cerdyn banc. Byddai rhaid i rywun dreulio oes i hacio hwnnw. Mae eich cerdyn banc yn gwbl ddiogel. Gwnaeth Davies gyfraniadau pwysig i ddatblygiad y systemau diogelwch hyn a sut i'w gweithredu'n ymarferol.

Ymddeolodd Davies o'i swydd yn NPL yn 1984, gan weithio wedyn fel ymgynghorydd i gynorthwyo cwmnïau i sicrhau bod eu systemau cyfrifiadurol yn ddiogel ac nad oedd unrhyw fygythiad gan hacwyr. Fel y gwyddwn yn dda erbyn hyn, mae'n ras barhaol rhwng yr hacwyr a'r rhai sy'n brwydro yn eu herbyn.

Roedd Davies wedi dotio ar hyd ei fywyd ar ddatrys posau mewn mathemateg. Mae 'chwarae plant' yn aml yn sail i fathemateg ddyfnach, ac roedd Davies yn ei elfen yn datblygu posau a gemau cyfrifiadurol a fyddai'n denu sylw plant a phobl ifainc. Y diddordeb hwnnw a fu'n gyfrifol am iddo roi cymaint o sylw i'r fathemateg sy'n sail i greu a datrys codau diogelwch. Mae yna ryw hud a lledrith yn perthyn i'r syniad o anfon a derbyn negeseuon cudd, ond mae yna hefyd ochr mwy difrifol iddi o ran sicrhau diogelwch personol yn ogystal â diogelwch ein sefydliadau a'n systemau cenedlaethol.

Enghraifft ysgafn, ar un olwg, o'r hyn a dynnai ei sylw yn gynnar yn ei yrfa oedd yr her o ddyfeisio peiriant a oedd yn gallu chwarae OXO yn erbyn gwrthwynebydd. Mae OXO yn gêm hynafol y cyfeirir ati yn Saesneg yn aml fel *Noughts and Crosses*, ac mae'n debyg ei bod yn mynd yn ôl ymhell i gyfnod yr Hen Aifft tua 1300 CC. Roedd dyfais Davies yn rhagflaenu'r cyfrifiaduron pwerus fel Deep Blue a ddatblygwyd gan gwmni IBM yn y 1990au ac a gurodd y pencampwr gwyddbwyll Garry Kasparov yn 1997, er mawr syndod i'r byd gwyddbwyll ac embaras mawr i Kasparov. Roedd y peiriant OXO yn boblogaidd mewn ffeiriau technoleg ar hyd a lled y byd, er nad oedd, wrth gwrs, o bwys chwyldroadol mewn cymhariaeth â syniadau Davies am 'gyfnewid pacedi'. Mae'r cyhoedd yn deall OXO gymaint yn haws, a denodd ei ddyfais sylw'r cyfryngau. Cafodd Davies ei gyfweld ar y teledu gan Richard Dimbleby ac roedd wrth ei fodd hefyd yn dangos ei beiriant OXO ar raglenni teledu i blant.

Chwarae plant ydy OXO ar un lefel, gêm sy'n hawdd ei deall, ond nid ar chwarae bach y mae ei dadansoddi. Dyna hefyd yw'r syniad o 'gyfnewid pacedi', syniad yr ydym i gyd yn ei ddefnyddio bob tro y byddwn yn troi at gyfrifiadur.

Beth, felly, oedd syniad chwyldroadol Donald Davies? Fel pob syniad da, mae'n un syml iawn ond roedd angen gweledigaeth i'w sefydlu, a dyfalbarhad a gwaith caled wedyn i'w roi ar waith. Fel y syniadau gorau oll, mae modd ei egluro mewn termau hawdd eu deall.

Yr her yw sut i anfon negeseuon electronig yn gyflym o un lle i le arall. Gallwn ddychmygu'r negeseuon yn cael eu hanfon ar hyd lôn electronig a llawer o draffig yn ceisio mynd arni. Mae'r traffig hwnnw'n cynnwys 'beiciau', 'ceir', 'faniau', ambell 'lorri', ac ambell 'jygarnot' o dro i dro. Dychmygwch y neges sydd ar gefn beic yn cyfateb i neges destun fer ar eich ffôn symudol, y neges mewn car yn cyfateb i neges e-bost yn cynnwys rhyw gant o eiriau, fan yn cario neges e-bost â llun ynghlwm wrthi, lorri yn cynnwys neges â chant o luniau yn rhan ohoni, ac, y mwyaf o'r cyfan, jygarnot yn cario lluniau o bob tudalen o lyfr Russell a Whitehead, *Principia Mathematica,* rhai cannoedd ohonynt. Wrth yrru ar hyd y ffordd rhaid mynd o amgylch ambell ynys a stopio wrth ambell set o oleuadau, ac o dro i dro mae'r ffordd yn culhau o ddwy lôn i un lôn. Ar ddiwrnod â llawer o draffig yn mynd ar hyd yr un ffordd, mae llawer o dagfeydd – y negeseuon yn cymryd amser maith i gyrraedd pen y daith. Y broblem fwyaf ydy'r jygarnot sy'n rhy fawr i fynd o amgylch yr ynysoedd ac sy'n dal pawb i fyny bob cam o'r ffordd.

Gweledigaeth Davies oedd gweld nad oedd rhaid i *Principia Mathematica* fod mewn jygarnot. Llawer haws, meddai, fyddai anfon y llyfr fesul tudalen, pob tudalen yn cael ei chario ar gefn beic, rhif y dudalen yn cyfateb i rif y beic. Mae beics yn bethau bach chwim mewn traffig, yn gallu gwau eu ffordd heibio ceir a lorïau er mwyn cyrraedd eu nod. Y beics bach hyn ydy'r 'pacedi' y cyfeiriai Donald Davies atynt ac mae'r holl broses yn cyfateb i anfon gwybodaeth (neu ddata) bob yn damaid, yn hytrach na cheisio anfon y cyfan mewn un jygarnot enfawr. Mae pob beic yn gwau ei ffordd ei hun i gyrraedd pen y daith yn annibynnol ar y beics eraill. Tasg hawdd wedyn yw rhoi'r holl negeseuon yn y drefn gywir a chyflwyno'r cyfan yn dwt i'r sawl sy'n derbyn y neges. A dyna ni, *Principia Mathematica* wedi cyrraedd pen ei daith mewn dim o amser, heb unrhyw dagfeydd ar hyd y ffordd o gwbl.

Mae'r darlun hwn o negeseuon electronig yn teithio fel traffig ar hyd ffordd yn gorsymleiddio'r broses, wrth gwrs, ond mae'n cyfleu hanfod y weledigaeth. Roedd llawer o waith mathemateg i'w wneud er mwyn cael popeth i drefn, heb sôn am y gwaith peirianyddol i wireddu'r cyfan, a hynny gyda chymorth llu o dechnegwyr ac arbenigwyr cyfrifiadur. Ond heb y weledigaeth gychwynnol ni fyddai dim arall yn bosibl. Donald Davies biau'r weledigaeth, a heb honno ni fyddai'r syniad o rwydweithio, na'r rhyngrwyd, wedi bod yn bosibl o gwbl.

Yn 1952 cafwyd Turing yn euog o'r drosedd o 'anwedduster dybryd'. Ni chafodd ei garcharu ond fe'i gorfodwyd gan y llys i ddioddef triniaeth gemegol. Ddwy flynedd yn ddiweddarach bu farw o ganlyniad i gael ei wenwyno. Hunanladdiad oedd dyfarniad y cwest ond, erbyn hyn, mae'r dystiolaeth wedi arwain rhai i awgrymu y gallai fod wedi cael ei wenwyno ar ddamwain. Mewn ymateb i ymgyrch eang yn 2009, ymddiheurodd Gordon Brown, Prif Weinidog Prydain ar y pryd, am y gamdriniaeth a ddioddefodd Turing. Yn 2013 derbyniodd Turing faddeuant ffurfiol gan y Frenhines. 'Deddf Alan Turing' yw'r teitl anffurfiol ar ddeddf a ddaeth i rym yn 2017 sy'n rhoi pardwn cyffredinol i rai a gafwyd yn euog neu a dderbyniodd rybudd dan yr hen ddeddfau yn erbyn ymddygiad cyfunrywiol. Mae'r farn gyhoeddus ynghylch cyfunrywiaeth wedi newid yn sylweddol erbyn hyn ac, i raddau, gellir priodoli llwyddiant yr ymgyrch frwd o blaid Turing i'r defnydd o'r cyfryngau cymdeithasol i ledaenu'r neges ac i ddenu cefnogwyr. Daeth y cyfryngau hyn i fodolaeth o ganlyniad i weledigaeth a dyfalbarhad Donald Davies. Hebddo, tybed a fyddai ei gyfaill Alan Turing wedi derbyn ei faddeuant?

Bu farw Davies yn 76 oed yn y flwyddyn 2000 ac mae gwerthfawrogiad o'i waith wedi cynyddu'n gyson ers hynny. Derbyniodd lawer o wobrau ac anrhydeddau yn ystod ei fywyd ond nid oedd yn un a hoffai gyhoeddusrwydd ac nid oedd ei enw na phwysigrwydd ei gyfraniadau yn gyfarwydd y tu allan i gylch ei gydweithwyr. Un rheswm am hynny oedd iddo wneud llawer o'i waith o fewn sefydliad ffurfiol, yr NPL, a bod elfennau o gyfrinachedd wedi bod yn gysylltiedig â'r gwaith hwnnw.

Denodd y chwyldro diwydiannol dad-cu Davies i Dreorci. Rhyw ganrif yn ddiweddarach mae gweledigaeth 'cyfnewid pacedi' Davies wedi arwain at chwyldro cyfrifiadurol sy'n gweddnewid ein syniadau am wybodaeth a chyfathrebu.

Yn 2013 dadorchuddiwyd cofeb i Davies ar wal llyfrgell Treorci, cofeb sy'n symbol o gyfraniad y gŵr arbennig hwn i'n bywydau bob dydd heddiw, a gŵr â'i wreiddiau yn y Rhondda ac yng ngorllewin Cymru.

Pos rhifau deuaidd

Wrth ddefnyddio rhifau deuaidd (*binary numbers*):

$1 + 1 = 10$
(sef $1 + 1 = 2$ mewn rhifau degol)

Faint yw $10 + 10$ mewn rhifau deuaidd?

A faint yw $10 + 10 + 10$ mewn rhifau deuaidd?

MANYLU AR ANFANYLDEB

$$3\times4 = 4\times3$$

Mary Wynne Warner (1932–1998).

C yn troi am y gwely a fyddwch chi'n gwisgo top eich pyjamas gyntaf ac wedyn y gwaelod, neu'r gwaelod gyntaf ac wedyn y top? Neu does gennych chi ddim patrwm arbennig gan nad oes unrhyw wahaniaeth mewn gwirionedd? Mewn '*algebra gwisgo pyjamas*' nid yw trefn y gwisgo o bwys.

Wedi ichi godi yn y bore beth yw'ch patrwm o wneud paned gynta'r dydd: tywallt y te i gwpan gwag ac yna ychwanegu llefrith, neu roi'r llefrith yn y cwpan yn gyntaf ac yna tywallt y te ar ei ben? Coeliwch chi fi, mae yna wahaniaeth, o ran blas a lliw'r te, rhwng y naill ffordd a'r llall. Mewn '*algebra gwneud te*' mae trefn y tywallt yn bwysig.

Mae rhifau yn bethau pob dydd hefyd ond, yn wahanol i byjamas a phaneidiau o de, pethau haniaethol yw rhifau na allwn eu cyffwrdd na'u blasu. A ydy canlyniad trin rhifau yn dibynnu ar eu trefn? Er enghraifft, a ydy 3 adio 4 yn rhoi'r un ateb â 4 adio 3? Wrth ei roi fel hafaliad, a ydy hyn yn gywir?

$$3 + 4 = 4 + 3$$

Mae ein profiad dyddiol o rifau yn sicr yn awgrymu ei fod yn gywir: wrth dalu tair punt am gylchgrawn a phedair punt am lyfr rwy'n gwybod yn iawn fy mod wedi gwario saith punt i gyd, p'un ai a brynais y cylchgrawn gyntaf ac wedyn y llyfr neu y llyfr gyntaf ac wedyn y cylchgrawn. Mae *algebra adio rhifau* yn union fel *algebra gwisgo pyjamas*.

Beth am luosi rhifau? A yw hi yr un mor amlwg bod 3×4 (tri phedwar) yn rhoi'r un ateb â 4×3 (pedwar tri)? A bod 386,731×952,047 yn rhoi'r un ateb â 952,047×386,731? Gallwn ddangos y peth yn ymarferol mewn ffordd syml iawn wrth edrych ar y 12 cylch hyn, sy'n ffurfio patrwm o dair rhes o bedwar:

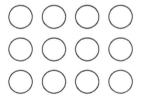

Gallwn hefyd edrych ar y patrwm fel pedair colofn o dri, a sylwi bod tair rhes o bedwar yr un peth â phedair colofn o dri. Mae'n rhaid felly fod

$$3×4 = 4×3$$

Gallwn ailadrodd y ddadl gydag unrhyw ddau rif i ddangos, er enghraifft, fod

$$386{,}731 \times 952{,}047 = 952{,}047 \times 386{,}731$$

Cawn fod yn dawel ein meddwl, felly, fod *algebra lluosi rhifau*, fel *algebra adio rhifau*, yn union fel *algebra gwisgo pyjamas* – nid yw trefn y rhifau o bwys. Popeth yn iawn hyd yma, ond beth am enghraifft wahanol sy'n codi o fyd siapiau? Cychwynnwn â darn sgwâr o bapur â thwll wedi'i dorri yn agos at un o gorneli'r sgwâr, fel hyn:

Rwyf wedyn yn arbrofi wrth symud y sgwâr mewn dwy ffordd wahanol.

Yn gyntaf, rwyf yn dewis symud y sgwâr gan ei droi'n glocwedd drwy 90 gradd, fel hyn:

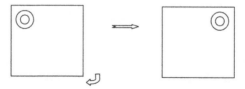

Yn ail, rwyf yn dewis symud y sgwâr gwreiddiol gan ei gylchdroi o amgylch croeslin sy'n cysylltu cornel chwith isaf y sgwâr â'r gornel dde uchaf. Dyma effaith cylchdroi'r sgwâr o amgylch y groeslin:

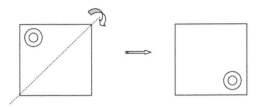

Beth yw'r effaith o wneud y ddau beth – troi a chylchdroi – ond gan amrywio'r drefn? Dyma'r effaith ar y sgwâr o'i droi ac wedyn ei gylchdroi:

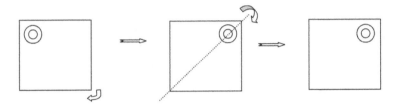

Dyma'r effaith ar y sgwâr o'i gylchdroi ac wedyn ei droi:

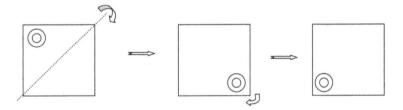

Mae'r canlyniadau'n wahanol: nid yw 'troi a chylchdroi' yn arwain at yr un peth â 'chylchdroi a throi'. Mae *algebra symud siapiau* yn debyg i *algebra gwneud te* – mae trefn y symudiadau yn gwneud gwahaniaeth. Nid yw pob algebra yr un fath.

Wrth fynd i brifysgol i astudio ar gyfer dilyn cwrs gradd mewn mathemateg, cefais lawer o anhawster i egluro wrth fy nhad beth yn union roeddwn yn ei wneud. Cigydd oedd fy nhad, un a oedd wedi rhoi ei fryd ar fod yn bensaer ond, oherwydd amgylchiadau'r cyfnod cyn ac yn ystod yr Ail Ryfel Byd, chafodd o erioed y cyfle i ddilyn y trywydd arbennig hwnnw. Roedd yn dda gyda syms, a hynny'n bwysig iddo at bwrpas y busnes ac fel trysorydd y capel. Roedd dan yr argraff, fodd bynnag, mai gwneud syms, i bob pwrpas, oedd gwneud gradd coleg mewn mathemateg ond bod y syms hynny'n anoddach na syms ysgol. Mae peth gwirionedd i hynny, ond dim llawer. Byddai'n llawer nes ati i ddisgrifio mathemateg, yn arbennig ar lefel coleg, fel ymgais i ganfod a dadansoddi patrwm: patrymau mewn rhifau, ie, ond patrymau mewn siapiau hefyd a phob math o greadigaethau eraill yn nychymyg mathemategwyr.

Gwaith mathemategydd yw ceisio deall strwythur a phatrwm ei greadigaethau neu, â'i fynegi fel arall, i ddeall *algebra*'r creadigaethau hynny. Gwelsom uchod nad yw algebra rhif union yr un peth ag algebra siâp. Wrth astudio algebra yn yr ysgol, algebra rhif sydd dan sylw bron bob tro. Wrth fynd i goleg mae byd o algebrâu newydd yn agor o'ch blaen, rhai y cyfeirir atynt dan y term cyffredinol '*algebra fodern*' sydd â'i phwyslais ar ddeall hanfod strwythur a phatrwm.

Mae *algebra fodern* yn cynnwys algebra rhif ac algebrâu eraill sy'n dilyn patrwm *algebra pyjamas* ond mae hefyd yn cynnwys enghreifftiau lawer o algebrâu sy'n dilyn patrwm *algebra gwneud te*.

Datblygodd syniadau am *algebra fodern* yn raddol o tua chanol y 19eg ganrif ond cafodd y maes hwb sylweddol yn dilyn lansiad llwyddiannus Sputnik I i'r gofod gan yr Undeb Sofietaidd yn 1957. Penderfynodd gwledydd y Gorllewin, Unol Daleithiau America yn eu plith, ei bod yn hen bryd i foderneiddio cynnwys cyrsiau prifysgol a'r cwricwlwm ysgol i gwmpasu'r syniadau newydd, er mwyn peidio â cholli'r 'ras i'r gofod'.

Un a chafodd ei hudo gan y chwyldro mathemategol hwn, yn arbennig gan *algebra fodern*, oedd Mary Wynne Warner (née Davies). Roedd Ffrainc a Gwlad Belg ar flaen yr ymgyrch moderneiddio yn Ewrop, dan arweiniad rhai fel Georges Papy (1920–2011), mathemategydd ac addysgwr o Wlad Belg. Yn 1961 cyhoeddodd Papy lyfr yn Ffrangeg sy'n mynd i'r afael ag *algebra fodern*. Cyhoeddwyd y llyfr yn Saesneg yn 1964, y cynnwys wedi cael ei gyfieithu a'i addasu gan Mary Warner.

Sbardunwyd Mary Warner i arbenigo ymhellach mewn *algebra fodern*, gan arwain yn y pen draw iddi gael ei phenodi'n Athro mathemateg yn City, Prifysgol Llundain, y ferch gyntaf i gael ei dyrchafu i gadair mewn mathemateg yn y brifysgol honno. Pan oedd ei ffrindiau'n gofyn iddi egluro beth oedd maes ei hymchwil a hithau'n cael peth anhawster i wneud hynny mewn termau syml, byddai hefyd yn ychwanegu, 'Rhaid ichi beidio â meddwl fy mod yn gallu gwneud syms, oherwydd dwi ddim.' Strwythur a phatrwm oedd ei diléit, nid gwneud syms.

Mae hanes Mary Warner yn un arwrol. Rhaid ceisio deall yr hanes hwnnw yng nghyd-destun brwydr merched i gyrraedd y brig mewn mathemateg.

Enillodd rhai menywod yr hawl i bleidleisio yn 1918 ond parhaodd y rhagfarn yn eu herbyn ym maes addysg, yn arbennig yn y gwyddorau, ymhell wedi hynny. Er enghraifft, nid oedd merched yn gallu cael eu derbyn i Brifysgol Caergrawnt tan 1869, a hyd yn oed wedi hynny nid oedd caniatâd iddynt raddio'n llawn tan 1948. Pe byddai merch yn cael ei derbyn i astudio mathemateg yng Nghaergrawnt yn y flwyddyn 1930, dyweder, a hithau'n llwyddo ymhob arholiad, nid oedd y brifysgol yn dyfarnu gradd lawn iddi. Ar y gorau byddai'n derbyn tystysgrif trwy'r post, ond nid oedd cyfle iddi dderbyn ei gradd mewn seremoni ffurfiol gyda'r dynion, ac nid oedd y dystysgrif yn ei chaniatáu i fod yn 'aelod o'r brifysgol'.

Erbyn heddiw, gallwn gymryd yn ganiataol nad oes unrhyw rwystr i ferch ddilyn cwrs gradd mewn mathemateg ond mae peth ffordd eto i fynd i sicrhau cydraddoldeb o ran niferoedd – er enghraifft, tua 30 y cant o fyfyrwyr mathemateg Prifysgol Rhydychen sy'n ferched y dyddiau hyn.

Yn enedigol o Gaerfyrddin, yn un o ddwy o ferched Sydney ac Esther Davies, cafodd Mary ei haddysg gynradd yn y dref honno cyn i'r teulu symud i Lanymddyfri a hithau i'r ysgol ramadeg yno, a symud wedyn i fyw i Dreffynnon gan astudio lefel A yn

Ysgol Howell, Dinbych. Disgleiriodd yn ei gwaith ar fathemateg ac enillodd ysgoloriaeth i Goleg Somerville, Rhydychen. Enillodd ei gradd yno yn 1951 ac aeth ymlaen i gychwyn ar waith ymchwil mewn mathemateg. Yn Rhydychen cyfarfu â Gerald (Gerry) Warner a oedd yn astudio hanes yng Ngholeg San Pedr.

Yn fuan wedi iddynt briodi yn 1956 penodwyd Gerry Warner, a oedd erbyn hynny'n gweithio yng ngwasanaeth cudd-ymchwil y llywodraeth (MI6 i bob pwrpas), i swydd yn y Llysgenhadaeth Brydeinig yn Beijing. Roedd yn daith llong o saith wythnos i'r ddau gyrraedd China a Mary yn edrych ymlaen at gychwyn ei dyletswyddau fel gwraig i ddiplomat. Ar yr un pryd roedd hi'n awyddus i barhau â'i gwaith mewn mathemateg ac roedd hi'n lwcus bod un o'i chyd-ymchwilwyr yn Rhydychen, Chang Su-chen, wedi dychwelyd i Brifysgol Beijing a bod cyfle i'r ddau gyfarfod i drafod eu gwaith. Hwn oedd cyfnod Cam Mawr Ymlaen Mao Zedong, cadeirydd y Blaid Gomiwnyddol yn China, a chymylau'r Chwyldro Diwylliannol yn dechrau cronni. Dioddefodd lawer o academyddion, gan gynnwys Chang Su-chen, o effeithiau'r cyfnod. Ar ei ymweliad olaf â fflat Mary a Gerry mae'n debyg iddo guddio y tu ôl i soffa, gymaint ei ofn y byddai'n cael ei ddal gan yr heddlu cudd, a sibrwd na fyddai'n gallu ymweld â hi eto.

Yn 1960 penodwyd Gerry Warner fel diplomat yn Burma (Myanmar erbyn hyn) a byw yn y brifddinas, Rangoon. Yno, hefyd, roedd Mary yn awyddus i barhau â'i gwaith mewn mathemateg a cheisiodd waith ym Mhrifysgol Rangoon. Nid oedd awdurdodau'r Llysgenhadaeth Brydeinig yn caniatáu hynny ar y cychwyn. Yng ngeiriau Gerry:

> When we arrived in the Embassy in Rangoon in 1960, no wife of a British diplomat had ever been allowed to take a full-time job. Women were supposed to be addenda and supports to their husbands. How long ago it seems. In the event, the Ambassador gave way when it was made clear that Mary worked, or we left. And she proved her worth to the Embassy, since she was at the University when the first shootings of students began, as Burma moved towards dictatorship, and [she] was the only Western witness to events that the Army tried to conceal.

Tra yn y brifysgol yn Rangoon trefnodd ac arweiniodd Mary Warner gwrs MSc mewn mathemateg, y cyntaf o'i fath yn Burma. Pedair blynedd yn ddiweddarach, yn 1964, roedd Gerry Warner yn y llysgenhadaeth yn Warsaw, Gwlad Pwyl, a chofrestrodd Mary i astudio ar gyfer gradd doethuriaeth yno. Erbyn iddi gwblhau ei thraethawd ymchwil roedd Gerry wedi cael ei symud i lysgenhadaeth y Swistir yng Ngenefa, a dychwelodd Mary i Warsaw i dderbyn ei doethuriaeth gan Academi Gwyddorau Gwlad Pwyl. Dan oruchwyliaeth yr Undeb Sofietaidd, yr oedd Gwlad Pwyl yn rhan ohono, un o'r rheolau oedd bod angen i fyfyrwyr sefyll arholiad mewn Marx-Leniniaeth er mwyn bod yn gymwys i dderbyn eu graddau. Llwyddwyd i osgoi'r amod hwnnw yn achos Mary a gellir tybio bod sgiliau diplomyddol ei gŵr wedi helpu i sicrhau hynny. Wrth edrych yn ôl dros y cyfnod, meddai Gerry:

> Mary was the first diplomatic wife to obtain a doctorate in a foreign country, and as in Burma, her familiarity with parts of the society that others could not reach made our lives much richer and more interesting. I was proud of the trail she blazed for other women in such an exemplary way.

Ni chollodd Mary Warner ei Chymreictod na'i Chymraeg, yn ôl pob sôn, er iddi dreulio blynyddoedd yn teithio'r byd. Roedd yn siarad yn blaen â ffraethineb miniog, ond ceisiodd reoli ei hemosiynau mewn cwmni rhag ofn iddi achosi embaras proffesiynol i'w gŵr. Fodd bynnag, ar un achlysur aeth dros ben llestri ar ganol cinio diplomyddol a drefnwyd ganddynt yn ystod eu cyfnod yn y Swistir. Roeddynt mewn bwyty yng Ngenefa a oedd yn enwog am ei *tartes à la crème*. Dechreuodd un o'r gwesteion gael hwyl ar ben barddoniaeth Gymraeg, gan wylltio Mary Warner. Fiw iddi daro'n ôl yn uniongyrchol a phenderfynodd daflu un o gacennau hufennog y gwesty at ei gŵr druan. Doedd dim rheswm yn y byd dros wneud hynny, wrth gwrs, ond llwyddwyd i ddod â'r sgwrs i ben!

Yn dilyn cyfnodau yn ôl yn Llundain, a hithau'n manteisio ar y cyfle i ddarlithio mewn mathemateg yn City a chael ei dyrchafu'n Ddarllenydd yno yn 1983 a sefydlu cwrs MSc, penodwyd Gerry Warner i weithio yn y llysgenhadaeth ym Malaysia, a bu'r ddau yn byw yn Kuala Lumpur. Yn ystod y cyfnod hwnnw Mary Warner oedd y person cyntaf i ddarlithio i fyfyrwyr ym mhrifysgol Malaysia Kuala Lumpur yn ogystal ag i fyfyrwyr y brifysgol Tsieineaidd yno.

Ar ymddeoliad Gerry Warner, ac yntau wedi'i ddyrchafu'n farchog am ei wasanaeth yn MI6, symudodd y ddau yn ôl i Brydain yn 1991, a phenodwyd Mary Warner i Gadair mewn mathemateg yn City, gan barhau i gyhoeddi'n helaeth hyd at ei hymddeoliad yn 1996 ac wedi hynny. Rhoddodd gryn bwysigrwydd hefyd ar ei gwaith darlithio yn y brifysgol yn ogystal â bod yn diwtor i nifer o fyfyrwyr ymchwil, gan gynnwys nifer o dramor, ac enillodd barch ac edmygedd eang.

Roedd Mary Warner hefyd yn fam i dri o blant, y tri wedi eu geni dramor. Er i'r tri lwyddo yn eu gyrfaoedd, dioddefodd dau ohonynt o salwch meddwl. Tynged y ddau, Sian a Jonathan, oedd lladd eu hunain o fewn ychydig flynyddoedd i'w gilydd, a hynny'n ergyd fawr iawn i'r teulu. Dywedir bod Mary wedi troi fwyfwy at ei gwaith academaidd yn rhannol fel ffordd o geisio rhoi'r trasiedïau hyn i gefn ei meddwl.

Ni phallodd creadigrwydd mathemategol Mary Warner ac, yn wahanol i'r patrwm mwy arferol ymhlith mathemategwyr, cyflawnodd ei gwaith gorau yn ystod ei blynyddoedd olaf.

Nod Mary Warner yn ei mathemateg oedd manylu ar anfanyldeb, sef, yn ei geiriau hi ei hun, 'to make precise the property of imprecision'. Tua diwedd ei gyrfa gwnaeth gyfraniad sylweddol i'r maes hwn, sydd wedi datblygu yn gangen bwysig o fathemateg dan y teitl eang 'mathemateg amhendant' (*fuzzy mathematics*). Mae'r fathemateg hon yn ddatblygiad o *algebra fodern* ac mae'r syniadau sydd wedi dilyn ohoni yn cael eu defnyddio i ddatrys problemau ymarferol mewn meysydd sydd, yn eu hanfod, yn ymwneud ag amhendantrwydd, problemau fel rhagweld diffygion mewn adweithyddion niwclear a rhagweld daeargrynfeydd.

Wedi iddi ymddeol o City, a'i hiechyd wedi torri ryw ychydig, parhaodd i weithio ar ei mathemateg gan fynychu cynadleddau ar draws y byd. Blwyddyn cyn ei marwolaeth roedd Mary Warner yn gweithio ar bapur i'w gyflwyno mewn cynhadledd i fathemategwyr yn Oslo ac roedd yn bwriadu treulio chwe mis mewn prifysgol ym Mrasil fel athro gwadd (*visiting professor*). Ond torrwyd ar ei chynlluniau a bu farw yn dawel yn ei chwsg ar 1 Ebrill 1998, yn 65 mlwydd oed, wrth ymweld â ffrindiau yn Sbaen. Fe'i claddwyd ym mynwent eglwys Kennerton, swydd Gaerloyw, wrth ymyl ei rhieni a dau o'i phlant.

Enillodd Mary Warner fri rhyngwladol ond nid oedd yr enwogrwydd hwnnw heb ei sialens ychwaith. Ar un achlysur derbyniodd yr Athro Warner wahoddiad i annerch cynhadledd ym mhrifysgol Bahrain. Penderfynodd Gerry deithio i'r gynhadledd gyda Mary. Dyma ei atgofion o'r hanes:

> We were met at the plane by one of Mary's junior hosts, and taken to stay with one of my colleagues. Shortly after we had settled in I was called to the phone. It was our host, who told me that he understood that Professor Warner was a woman. I confirmed that was the case. He said that this would be difficult, for she would be lecturing to male students, and meeting male colleagues. Would she mind if she was categorised as an 'honorary man'?
>
> I naturally consulted Mary, [who] said she would have no objection. The visit passed off very pleasantly. Our final lunch was in the male quarters of our host's house. At the end of the meal I became an 'honorary woman', and was introduced to his wife and family in the female rooms.

Daeth Syr Gerry i'r casgliad : 'the occasion could only have involved a lady academic, and exemplified in a benign way the peculiarities of being a comparatively early bird as a lady mathematician'. Amser am baned arall o de – heb lefrith y tro hwn.

Pos algebra rhifau

Mae'r rhifau o 0 i 9 ar eich ffôn.
Faint o wahaniaeth sydd rhwng
cyfanswm y rhifau hyn a'u lluoswm?

12 SIAPIWCH HI!

Caerdydd

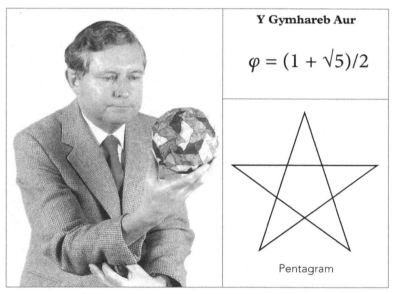

Y Gymhareb Aur

$$\varphi = (1 + \sqrt{5})/2$$

Pentagram

John Frankland Rigby (1933–2014).

oedd John Rigby yn un o'r anwylaf o drigolion y byd, yn ŵr tawel a diymhongar, a chanddo ddawn anghyffredin mewn mathemateg, yn arbennig ym maes geometreg. Roedd wrth ei fodd yn darganfod dulliau newydd o greu patrymau mewn dau a thri dimensiwn ac yn rhannu ei waith gydag eraill. Roedd ei ddiléit wrth wneud hynny yn heintus a'i gynulleidfa'n cael ei swyno'n llwyr ganddo.

Roedd gan Rigby hefyd y gallu mwyaf rhyfeddol i dynnu lluniau manwl yn gwbl lawrydd, heb gymorth pren mesur na dim arall: roedd pensel a phapur neu ddarn o sialc a bwrdd du yn fwy na digon iddo. Roedd ei allu i lunio cylch perffaith ar fwrdd du yn wyrthiol. Roedd ei wreiddiau mewn oes cyn dyfodiad y dechnoleg fodern a gwell ganddo oedd dal gafael ar ei syniadau wrth feddwl â'i law yn ogystal â'i ben.

Roedd Rigby yn geometregydd yn y traddodiad clasurol. Tra bu mathemategwyr ddiwedd yr 20fed ganrif yn troedio llwybrau mwy haniaethol geometreg, gan gynnwys natur gofod y tu hwnt i'n profiad tri dimensiwn ni ohono, arhosodd o fewn ffiniau siapiau gweladwy geometreg Ewclid. Ei gamp oedd cyfoethogi gwaith Ewclid a'i godi i lefel uwch. Roedd ganddo'r ddawn i fynd at wraidd problem astrus mewn geometreg, a'i weledigaeth yn arwain yn aml at ffordd syml ac uniongyrchol o gyrraedd ateb. Tra byddai eraill ar goll ym manion y broblem byddai Rigby wedi'i 'gweld hi'.

Roedd ei ymchwil yn ei dywys ar brydiau i lunio patrymau amryliw a chafodd gryn bleser a boddhad yn argraffu'r patrymau hynny a'u gwerthu i'w gyfeillion fel cardiau Nadolig a chardiau cyfarch er budd un o'r nifer o achosion da a gefnogai. Dyma ddwy enghraifft o'r patrymau hynny:

Patrwm papur wal.

Roedd Rigby yn arbenigwr rhyngwladol ar y cysylltiad rhwng mathemateg a chelf addurnol. Wedi'i ddylanwadu gan waith yr artist a'r pensaer Owen Jones (1809–74) ac arddull y dylunydd tecstiliau William Morris (1834–1896), mae'r patrwm papur wal hwn, y gellir ei ddychmygu yn ymestyn i bob cyfeiriad, yn gyfoethog o ran ei gymesuredd.

Patrwm Islamaidd.

Dylanwadwyd ar y gwaith hwn gan batrwm ar wal athrofa Islamaidd yn Konya, Twrci, a godwyd yn 1215. Wrth greu'r llun, defnyddiodd Rigby dechnegau a welir ar batrymau Islamaidd yr Alhambra yn Grenada, Sbaen.

Ganed John Frankland Rigby yn Westhoughton, ger Manceinion, a chafodd ei fagu ar aelwyd Anglicanaidd bybyr. Mynychodd Ysgol Ramadeg Manceinion ac aeth ymlaen i raddio mewn mathemateg yng Ngholeg y Drindod, Caergrawnt, coleg sydd â chysylltiadau hir â mathemateg, ac yno y cychwynodd ar ei ddoethuriaeth. Fel sawl un arall â dawn arbennig mewn mathemateg, fe'i cyflogwyd gan ganolfan gyfathrebu'r llywodraeth (GCHQ) yn Cheltenham, ac yno y gorffennodd ei draethawd ymchwil. Fe'i penodwyd yn ddarlithydd ifanc yn Ysgol Mathemateg Prifysgol Caerdydd yn 1959, lle bu'n darlithio'n ddi-dor hyd at ei ymddeoliad yn 1996, a pharhaodd i gyfrannu at waith yr ysgol yn rhan amser wedi hynny. Roedd ei gydweithwyr yng Nghaerdydd wedi ceisio dwyn perswâd arno i ddatgelu beth yn union oedd ei waith yng nghrombil GCHQ, ond, yn unol â gofynion y ddeddf, gwrthodai ddweud air o'i ben am ei brofiad yno.

Ymwelodd â phrifysgolion ar draws y byd yn ystod ei amser yng Nghaerdydd. Magodd ddiddordeb arbennig mewn geometreg draddodiadol Siapan a'i nodweddion artistig, a chafodd ei hudo hefyd gan batrymau Islamaidd a Cheltaidd. Cyfrannodd yn helaeth at waith cymdeithasau mathemateg yn lleol ac yn genedlaethol a bu'n weithgar iawn wrth hybu mathemateg mewn ysgolion.

Roedd Rigby hefyd yn aelod ffyddlon a gweithgar o gynulleidfa Cadeirlan Llandaf. Cafodd bleser arbennig o fod yn aelod o gôr yr eglwys dros nifer o flynyddoedd. Cyfunodd ei ddiddordeb mewn cerddoriaeth â'i fathemateg wrth astudio cerddoriaeth dawnsiau gwerin a phatrwm y dawnsiau hynny. Yn aelod o Gymdeithas Dawns Werin Cymru denwyd John gan gymhlethdod patrymau dawnsio gwerin yr Alban ac aeth ati i ddyfeisio a chyhoeddi dawnsiau ei hun, yn arbennig ar gyfer Cymdeithas Albanaidd Caerdydd (Cardiff Caledonian Society). Mynychai ddawnsiau wythnosol y gymdeithas honno a chael cryn hwyl arni.

Defnyddiodd Cadeirlan Llandaf nifer o batrymau Rigby ar gyfer creu clustogau pen-glin, gyda gwirfoddolwyr y plwyf yn dilyn y patrymau pwyth wrth bwyth. Lleolir y clustogau yng Nghapel y Wyryf Fair yn y gadeirlan:

Stori'r Nadolig ar glustog weddi, y cyfan wedi'i hamgylchynu gan batrymau mathemategol.

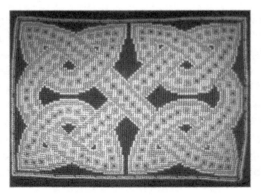

Clustog ben-glin wedi'i hysbrydoli gan batrwm cwlwm Celtaidd.

Oherwydd ei ddiddordeb mewn addysg mathemateg arferai Rigby fynychu cynhadledd flynyddol cymdeithas o ddarlithwyr coleg a arbenigai mewn hyfforddi athrawon mathemateg yng Nghymru, cymdeithas y bûm yn aelod ohoni. Deuem at ein gilydd yn flynyddol i dreulio deuddydd neu dri yn Neuadd Gregynog ger y Drenewydd i drafod y datblygiadau diweddaraf mewn addysg mathemateg. Uchafbwynt y cynadleddau hyn oedd cyfraniad blynyddol Rigby wrth iddo ein difyrru a'n haddysgu. Yn ei flynyddoedd olaf effeithiwyd ar ei iechyd yn gynyddol gan glwyf Parkinson ond roedd yn gyndyn i ollwng ei afael ar y daith flynyddol i Gregynog, a ninnau, wrth draed Gamaliel, yn rhyfeddu at ei benderfyniad yn wyneb pob anhawster. Roedd cael bod yn dyst i'w ymroddiad yn brofiad dyrchafol i bob un ohonom.

Mae geometreg yn apelio at y synhwyrau gweledol yn ogystal ag at y sialens o ddilyn camau rhesymeg i ddadansoddi ffurf a siâp. Mae cymesuredd mewn siâp a'r ffordd y mae siapiau'n gallu ffitio i'w gilydd, mewn dau a thri dimensiwn, yn dyfnhau'r apêl. Roedd gan Rigby ddealltwriaeth ddofn o'r apêl hwn a'r gallu i lunio a ffurfio siapiau gwreiddiol a fyddai'n rhoi boddhad i'r llygad yn ogystal ag i'r ymennydd. Un o'i hoff arfau wrth lunio llun oedd gwneud defnydd o'r 'gymhareb aur', sef rhif arbennig y mae iddo rinweddau cwbl annisgwyl a hudolus. Beth, felly, ydy'r 'gymhareb aur'?

Pe byddech am brynu llun i roi yn eich tŷ, a fyddai siâp y ffrâm yn dylanwadu ar eich dewis? Er enghraifft, a fyddech yn debygol o ddewis llun mewn ffrâm hir a thenau fel hon?

Neu a fyddech yn fwy tebygol o ddewis llun mewn ffrâm sgwâr, fel hon?

Edrychwch ar y lluniau o'ch amgylch, yn eich tŷ neu'ch swyddfa. A ydy'r fframiau yn hir ac yn denau neu yn debycach i sgwariau? Neu a ydynt rywle yn y canol, rhywbeth yn debyg i hon?

Mae hyd y ffrâm hir a thenau ryw wyth gwaith ei led. Neu, a defnyddio iaith dechnegol, cymhareb yr hyd i'r lled yw tua 8. Cymhareb yr hyd i'r lled yn y ffrâm sgwâr yw 1, wrth gwrs, gan mai'r un yw ei hyd â'i led. A'r ffrâm sydd rhywle yn y canol? Mae cymhareb yr hyd i led y ffrâm hon rhwng 1 ac 8. Pe byddech yn ei fesur yn fanwl byddech yn darganfod mai tua 1.6 yw'r gymhareb. Pa un o'r tair ffrâm sy'n apelio fwyaf atoch, tybed, o ran ei siâp?

At ei gilydd mae pobl yn fwy tebygol o ddewis ffrâm nad yw'n rhy denau nac yn rhy sgwâr. Mae ffrâm 'rhywle rhwng y ddau begwn' fel petai'n fwy atyniadol i'r llygad – byddai'n haws i fyw gyda honno na'r ddwy arall.

A oes modd bod yn fwy pendant na dweud 'rhywle rhwng y ddau begwn'? A oes rhaid bodloni ar ddisgrifiad yn null Elen Benfelen o ddewis cymhareb sy'n ffurfio ffrâm nad yw'n rhy denau nac yn rhy dew, neu a allwn ni fynd gam ymhellach? Ymhle yn union rhwng y ddau begwn y mae'r gymhareb 'ddelfrydol', yr un sy'n apelio fwyaf i'n syniad o berffeithrwydd?

Y gwir, wrth gwrs, yw nad oes y ffasiwn beth â chymhareb ddelfrydol sy'n plesio pawb. Mae chwaeth yr unigolyn yn sicr o fod yn ffactor bwysig. Ond nid yw hynny wedi lladd ar chwilfrydedd pobl dros y canrifoedd wrth iddynt anelu at y ddelfryd, am y trysor aur ar ben yr enfys. Penllanw'r chwilio, yn ôl yn y 13eg ganrif, oedd awgrymu mai'r gymhareb ddelfrydol, y 'gymhareb aur' fel y'i galwyd, yw rhif sydd ychydig yn fwy nag 1.6, sef y rhif 1.61803..., degolyn sy'n ymestyn yn ddiddiwedd. Mae yna ddadl fathemategol dwt a thaclus sy'n arwain at y rhif rhyfeddol ac arbennig hwn (gweler y manylion yn y nodiadau yng nghefn y llyfr) a hon yw'r 'gymhareb aur'.

Y confensiwn yw defnyddio'r llythyren Roegaidd ϕ (phi) i gynrychioli'r gymhareb aur. Mae hyn yn debyg i'r confensiwn o ddefnyddio'r llythyren Roegaidd π (pai), sef y symbol a ddewisodd William Jones i gynrychioli cymhareb cylchedd cylch i'w ddiamedr (gweler Pennod 2). Mae'r ddau rif, ϕ a π, yn ddegolion diddiwedd a'r ddau'n codi'n aml iawn mewn mathemateg. Yn wahanol i π, mae modd cyfrifo gwerth ϕ yn hawdd iawn ar gyfrifiannell gan ddefnyddio'r hafaliad hwn:

$$\phi = (1 + \sqrt{5})/2$$

I bob pwrpas ymarferol, gallwn feddwl am ϕ, y gymhareb aur, fel rhif sydd ychydig yn fwy nag 1.6.

Dros y blynyddoedd mae llawer wedi cael eu hudo'n llwyr gan y rhif hwn ac wedi dadlau mai ϕ yw'r rhif sydd wedi dylanwadu ar fesuriad adeiladau hynafol fel y Parthenon yn Athen ac ar waith artistiaid fel Leonardo da Vinci yn ei bortread o'r Mona Lisa, ond tenau iawn yw'r dystiolaeth dros yr honiadau hyn.

Os nad oes fawr o sail i honni bod ϕ yn ganolog i bensaernïaeth a chelf, mae'n sicr o bwys mawr mewn mathemateg ac roedd Rigby wrth ei fodd gyda'r rhif, ac roedd dylanwad y rhif i'w weld ar ei waith. Mae'r rhif ϕ yn codi yn y llefydd mwyaf annisgwyl, gan gynnwys yn y siâp cyfarwydd hwn, sef pentagram gyda'i bum pig:

Mae'r rhif ϕ yn guddiedig yn y siâp hwn ymhob twll a chornel ohono. Er enghraifft, mae wyth triongl isosgeles yn y siâp – sef trionglau gyda dwy o'u hochrau yr un hyd â'i gilydd. Dyma un o'r trionglau isosgeles:

A fedrwch chi weld y saith triongl isosgeles eraill? Pe byddech chi'n mynd ati i fesur hyd un o ochrau hiraf y triongl hwn a hyd yr ochr fyrraf byddech yn darganfod bod hyd yr ochr hiraf ychydig dros 1.6 gwaith yn fwy na hyd yr ochr fyrraf. Pe byddech wedyn yn dadansoddi'r siâp yn fanylach byddech yn darganfod bod yr 'ychydig dros 1.6' yn union werth ϕ. Ac mae'r un peth yn wir am bob un o'r wyth triongl. Mae'r pentagram yn siâp rhyfeddol, a ϕ, y gymhareb aur, yn sail i'r cyfan.

Does ryfedd felly fod y siâp hynod hwn wedi cael ei ddefnyddio – a'i gamddefnyddio – dros y canrifoedd fel symbol hud a lledrith sy'n fynegiant o rym goruwchnaturiol. Defnyddiwyd y symbol gan y Groegiaid a'r Babiloniaid hynafol, fe'i cysylltir â rhai enwadau Cristnogol yn ogystal â mudiadau paganaidd ac mae ganddo gysylltiadau â'r Seiri Rhyddion.

Yn rhyfeddach fyth, mae'r rhif ϕ yn codi nid yn unig mewn siapiau ond hefyd mewn meysydd nad ydynt, ar yr wyneb beth bynnag, yn gysylltiedig â siapiau o gwbl.

Campwaith Leonardo Fibonacci (*c.*1170–*c.*1250), mathemategydd o'r Eidal, oedd ei lyfr *Liber Abaci* a gyhoeddwyd yn 1202. Yn y llyfr hwnnw mae'n cyflwyno'r dull 'modern' o ysgrifennu rhifau i wledydd y Gorllewin, dull a ddisodlodd yr hen drefn Rufeinig o ysgrifennu rhifau.

Yng nghefn ei lyfr mae Fibonacci'n gosod nifer o bosau i ddifyrru'i ddarllenwyr. Twf poblogaeth teulu o gwningod yw thema un o'r posau hyn. Mae'r enghraifft yn arwain at y dilyniant 1, 1, 2, 3, 5, 8..., sy'n dangos nifer y cwningod wrth i'r teulu dyfu o genhedlaeth i genhedlaeth. Mae'r dilyniant yn adnabyddus erbyn hyn fel 'dilyniant Fibonacci'. Mae'n ddilyniant sy'n codi'n aml iawn mewn mathemateg ac mae wedi sicrhau mwy o enwogrwydd i Fibonacci na gweddill ei lyfr, er mor bwysig oedd hwnnw.

Mae pob rhif yn y dilyniant, o'r trydydd rhif ymlaen, yn gyfanswm y ddau rif o'i flaen. Er enghraifft, $2 + 3 = 5$ a $3 + 5 = 8$. Y rhif nesaf yn y dilyniant yw $5 + 8$, sef 13, ac felly ymlaen. Deg rhif cyntaf y dilyniant yw 1, 1, 2, 3, 5, 8, 13, 21, 34, 55.

Mae'r rhifau hyn yn codi'n aml iawn ym myd natur, wrth gyfrif petalau ar flodyn neu'r sbiralau ar gôn neu'r sbiralau a ffurfir gan yr hadau ar flodyn yr haul.

5 petal Tormaen Serennog.	13 petal y Benfelen.
Nifer y sbiralau ar y côn hwn yw 8 wrth eu cyfri'n glocwedd ac 13 wrth eu cyfri'n wrthglocwedd.	Nifer y sbiralau a ffurfir gan hadau'r blodyn haul hwn yw 34 wrth eu cyfri'n glocwedd a 55 wrth eu cyfri'n wrthglocwedd.

Cyfrinach rhifau Fibonacci yw eu bod yn fodel da o sut y mae planhigion yn tyfu: mae'r broses o dyfu fel petai'n arwain yn naturiol at y rhifau.

Gallwn hefyd fesur pa mor gyflym y mae'r rhifau yn y dilyniant yn tyfu wrth gymharu unrhyw un o'r rhifau hynny â'r rhif o'i flaen. Er enghraifft:

y pedwerydd rhif yw 3, y rhif o'i flaen yw 2 – mae 3 yn fwy na 2 o ffactor o 1.5

y pumed rhif yw 5, y rhif o'i flaen yw 3 – mae 5 yn fwy na 3 o ffactor o 1.667

y chweched rhif yw 8, y rhif o'i flaen yw 5 – mae 8 yn fwy na 5 o ffactor o 1.6

y seithed rhif yw 13, y rhif o'i flaen yw 8 – mae 13 yn fwy nag 8 o ffactor o 1.625

yr wythfed rhif yw 21, y rhif o'i flaen yw 13 – mae 21 yn fwy nag 13 o ffactor o 1.615

y nawfed rhif yw 34, y rhif o'i flaen yw 21 – mae 34 yn fwy na 21 o ffactor o tua 1.619

y degfed rhif yw 55, y rhif o'i flaen yw 34 – mae 55 yn fwy na 34 o ffactor o tua 1.618

Wrth sylwi'n fanwl ar y ffactorau gwelwn eu bod yn cynyddu ac yn lleihau bob yn ail. O'r degfed rhif ymlaen mae'r ffactor wedi setlo ar 1.618 yn gywir i dri lle degol. Erbyn inni gyrraedd yr ugeinfed rhif, 6765, y rhif o flaen hwnnw yw 4181 ac mae 6765 yn fwy na 4181 o ffactor o 1.61803, yn gywir i bum lle degol. Hwnnw yw ein rhif ϕ, wrth gwrs, eto yn gywir i bum lle degol.

Wrth gamu ymlaen ar hyd dilyniant Fibonacci mae'r rhifau'n tyfu o ffactor sy'n nesáu at ϕ, y gymhareb aur. Nid cyd-ddigwyddiad yw hwn. Mae'r gymhareb aur a rhifau Fibonacci ynghlwm wrth ei gilydd a'r cydberthynas hwnnw yn un o ryfeddodau mathemateg. Mae'r cydberthynas hefyd yn sail i waith creadigol â phatrymau ac yn un a ysbrydolodd Rigby.

Roedd gan John Rigby hiwmor cynnil a chwareus, a chanddo allu i hudo a chyfareddu ei wrandawyr. Hyd yn oed yn ystod ei ddyddiau olaf yn yr ysbyty, yntau prin yn gallu siarad, dywedodd wrth gyfaill ar ymweliad nad oedd 'wedi marw eto', a rhyw hanner gwên yn goleuo'i wyneb. Roedd ei fathemateg, fel ei bersonoliaeth, yn bur ac yn loyw, ac eto'n ddwfn ac yn gwbl unigryw.

Pos sgwariau

Tynnwch y llun hwn o sgwariau heb godi'ch pensil o'r papur a heb fynd dros yr un llinell ddwywaith:

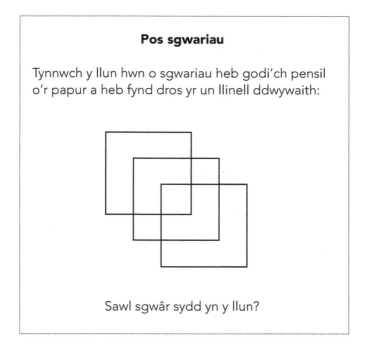

Sawl sgwâr sydd yn y llun?

13 I GLOI

Roedd hi'n hen jôc ymysg myfyrwyr coleg yn y 1960au na ddylai dynion gyfaddef eu bod yn astudio mathemateg, yn arbennig mewn parti. Byddai'r sgwrs yn siŵr o ddod i ben a phawb yn chwilio am esgus sydyn i droi cefn, gan adael y druan bach ar ei ben ei hun yn cydio'n dynn yn ei wydryn o sieri.

A dyna ni wedi dyddio'r peth i gyfnod hanner cant a mwy o flynyddoedd yn ôl, y cyhoedd yn gyffredinol yn cysylltu mathemateg a gwyddoniaeth ag Albert Einstein yn bennaf, os nad yn gyfan gwbl. Roedd gan bobl ddelwedd o rywun nad oedd cweit fel pawb arall, ei feddwl yn y cymylau, ei wallt yn wyllt a'i ddillad yn anniben. Tybiwyd nad oedd mathemategwyr yn ei chael hi'n hawdd ymwneud â phobl eraill nad oedd yn rhannu'r un obsesiwn: dim llawer o fân siarad ganddynt, rhyw fymryn o swildod yn eu cymeriad, yn troi yn eu bywydau bach eu hunain. A neb, yn gwbl sicr, yn meddwl am fathemategydd yn fenyw.

Erbyn heddiw mae'r ddelwedd honno wedi newid yn llwyr wrth inni ddod yn gyfarwydd ag amrediad ehangach o bobl sy'n galw eu hunain yn fathemategwyr ond nad ydynt yn ffitio'r stereoteip Einsteinaidd. Mae nifer cynyddol o awduron a darlledwyr, rhai fel Marcus du Sautoy ac Alex Bellos, yn mynd ati'n fwriadol i boblogeiddio mathemateg. Mae'r stereoteip yn cael ei herio hefyd gan gynnydd yn nifer y menywod sydd wedi codi i'r brig ac sydd wedi denu sylw'r cyhoedd, rhai fel Carol Vorderman (o Brestatyn, wrth gwrs) a Hannah Fry.

Beth yw nodweddion y dwsin a mwy o fathemategwyr sydd wedi cael sylw yn y llyfr hwn? Mae un ohonynt, George Hartley Bryan, yn ymdebygu yn fwy na neb arall i'r ddelwedd o fod 'ar blaned arall'. Ond eithriad yw Bryan, hefyd, ac mae yna berygl i'r eithriad wneud mwy o argraff arnom oherwydd eithafiaeth ei ymddygiad Basil Fawlty-aidd. Fel arall mae yma nodweddion eraill sy'n hoelio'n sylw am resymau llawer mwy cadarnhaol.

Mae llawer o'r mathemategwyr yn dangos consérn am eu cyd-ddyn ac am allu mathemateg i ymateb i'r consérn hwnnw. Er enghraifft,

- roedd Robert Recorde a'i fryd ar addysgu 'the vnlearned sorte', a Lancelot Hogben yn cael ei sbarduno gan yr un nod o gyrraedd pobl gyffredin; ac
- roedd Richard Price, William Morgan a Griffith Davies yn defnyddio mathemateg i ddatblygu systemau yswiriant er budd y gweiniaid mewn cymdeithas, yn arbennig yr henoed.

I eraill mae mathemateg yn faes i ymhyfrydu ynddo oherwydd ei burdeb a'r sicrwydd (tybiedig) sy'n gysylltiedig â'r pwnc, rhyw 'le i enaid gael llonydd':

- roedd William Jones wedi gwirioni ar π, cymhareb cylchedd cylch i'w ddiamedr, nad oes modd ei fynegi mewn rhifau;
- geometreg Ewclid oedd 'cariad cyntaf' Bertrand Russell a ysbrydolodd ei ymgais i roi mathemateg ar seiliau cadarn;
- *algebra fodern* aeth â bryd Mary Warner, yn gweld patrymau mewn byd haniaethol; a
- diléit John Rigby oedd creu siapiau rhyfeddol yn seiliedig ar waith Ewclid.

Yng nghyd-destun eu cyfnodau, roedd y mathemategwyr hyn yn ceisio dod i delerau â'u daliadau crefyddol mewn amryfal ffyrdd. Er enghraifft,

- roedd Robert Recorde yn Brotestant o argyhoeddiad ac yn gwrthod derbyn awdurdod y Pab ar faterion y byd;
- roedd Richard Price yn Undodwr selog wedi iddo ymwrthod â syniadau'r Methodistiaid Calfinaidd;

- cefnodd Bertrand Russell ar grefydd gonfensiynol, gan ddadlau ei bod yn seiliedig ar ofn a bod angen troi ein sylw at wneud y byd yn lle gwell i fyw ynddo;
- trodd Lancelot Hogben ei gefn ar ffwndamentaliaeth ei dad a dewis addoli gyda'r Crynwyr am gyfran helaeth o'i fywyd, ac roedd yn chwyrn ei feirniadaeth o gysylltu mathemateg ag ofergoeliaeth a dewiniaeth; a
- pharhaodd John Rigby i ddilyn y traddodiad Anglicanaidd, delweddau'r traddodiad hwnnw'n plethu â delweddau ei fathemateg.

Cawn yma gymysgedd o agweddau at grefydd ond, at ei gilydd, mae'r mathemategwyr hyn yn seilio'u credoau ar eu consérn am eraill, gan fabwysiadu crefydd ymarferol yn hytrach na chrefydd dogma.

Tybed pa rai ohonynt fyddech chi'n teimlo'n gyfforddus yn eu gwahodd atoch i rannu sgwrs dros ginio? A fyddech chi'n gallu ymdrin ag odrwydd Bryan neu gystadlu â miniogrwydd meddwl Russell? O'm rhan fy hun, byddem wrth fy modd yn cael holi... wel, na, cadw'n ddistaw fyddai orau i mi, a'ch gwahodd chithau, ddarllenwyr amyneddgar, i wneud eich dewis.

ATEBION I'R POSAU

Pos pedoli (Pennod 1)

Pris y ceffyl yw £655.35. Yr ateb i'r cwestiwn gwreiddiol gan Recorde oedd £34,952 10s. 7c a dimai ('ob' oedd y gair a ddefnyddiwyd gan Recorde am ddimai), pris cwbl afresymol i dalu am geffyl yn y cyfnod hwnnw, fel y cydnabyddir gan Recorde wrth iddo ychwanegu'n gellweirus, 'I thynke you wil bye no horse of the pryce'.

Pos eilrifau ac odrifau (Pennod 2)

Cyfanswm yr odrifau o 1 hyd at 99 yw 2,500; cyfanswm yr eilrifau o 2 hyd at 100 yw 2,550. Tybed sut fyddai Carl wedi cyrraedd yr atebion?

Pos pai (Pennod 3)

Os oes gennych mnemonig cofiadwy, mae croeso i chi ei anfon at garethffowcroberts@gmail.com.

Pos tebygolrwydd (Pennod 4)

Yn groes i'r disgwyl, efallai, rydych yn fwy tebygol o gael eilrif nac odrif. Wrth luosi rhifau, mae eilrif×eilrif yn eilrif, mae eilrif×odrif yn eilrif, mae odrif×eilrif yn eilrif, ac mae odrif×odrif yn odrif. Felly, y tebygolrwydd o gael odrif yn ateb yw 1 mewn 4, sef 25 y cant (neu 0.25 neu ¼).

Pos hwyliau (Pennod 5)

Arwynebedd yr hwyl leiaf yw $6m^2$, ac arwynebedd yr hwyl fwyaf yw $30m^2$; cyfanswm o $36m^2$.

Pos mynd am dro (Pennod 6)

Pum milltir, gyda chymorth theorem Pythagoras (gweler Pennod 5).

Pos Merêd (Pennod 7)

Nid yw'r ymresymiad yn dal dŵr. Mae'n eithaf posibl fod pob barnwr yn gwisgo wig ond nid yw'r gosodiadau yn yr ymresymiad yn profi hynny.

Pos yr argraffydd (Pennod 8)

Bydd 12 tudalen mewn teip bach, a 10 tudalen mewn teip mawr.

Pos ansicrwydd (Pennod 9)

Wrth daflu dau ddis y gwahaniaeth mwyaf tebygol rhwng y ddau rif a deflir yw 1. Gellir gweld hynny wrth lunio tabl o'r holl bosibiliadau, fel hyn:

		Rhif dis 1					
		1	2	3	4	5	6
Rhif dis 2	1	0	1	2	3	4	5
	2	1	0	1	2	3	4
	3	2	1	0	1	2	3
	4	3	2	1	0	1	2
	5	4	3	2	1	0	1
	6	5	4	3	2	1	0

O'r 36 o bosibiliadau, mae deg ohonynt yn arwain at wahaniaeth o 1, wyth at wahaniaeth o 2, chwech at wahaniaeth o 3 ac yn y blaen. Y rhif 1 sy'n codi amlaf.

Pos rhifau deuaidd (Pennod 10)

10 + 10 = 100 (sef 2 + 2 = 4 mewn rhifau degol)
10 + 10 + 10 = 110 (sef 2 + 2 + 2 = 6 mewn rhifau degol)

Ar un olwg mae rhifau deuaidd yn bethau syml iawn ond maent hefyd yn peri trafferth i lawer gan ein bod wedi arfer gymaint â rhifau degol.

Pos algebra rhifau (Pennod 11)

Y gwahaniaeth yw 45. Cyfanswm y rhifau yw 45. Eu lluoswm, sef 0×1×2×3×4×5×6×7×8×9, yw 0 – does dim angen poeni beth yw'r ateb i 1×2×3×4×5×6×7×8×9. Rhan o *algebra lluosi rhifau* yw bod 0 wedi'i luosi gydag unrhyw rif yn rhoi'r ateb 0.

Pos sgwariau (Pennod 12)

(a) Y gamp wrth dynnu'r llun yw dechrau yn y man iawn.
(b) Mae wyth sgwâr yn y llun – tri bach, dau ganolig a thri mawr.

15 NODIADAU AR Y PENODAU

Rhagair

Fel dilyniant i *Mae Pawb yn Cyfrif* (Llandysul, 2012), mae'n anochel fod peth gorgyffwrdd rhwng y ddau lyfr. Addaswyd *Mae Pawb yn Cyfrif* i'r Saesneg fel *Count Us In* (Caerdydd, 2016).

Pennod 1

Ceir hanes llawnach am fywyd a gwaith Robert Recorde yn (a) Gareth Ffowc Roberts, *Mae Pawb yn Cyfrif* (Llandysul, 2012), pennod 5, a (b) Gordon Roberts, *Robert Recorde: Tudor Scholar and Mathematician* (Caerdydd, 2016), y llyfr cyntaf yng nghyfres *Gwyddonwyr Cymru – Scientists of Wales* a chyhoeddir gan Wasg Prifysgol Cymru.

Am drafodaeth o sut a phryd y daeth rhifau Hindŵ-Arabaidd i Gymru, gweler Nia M. W. Powell, 'The Welsh context of Robert Recorde', yn Gareth Roberts a Fenny Smith (goln), *Robert Recorde: the Life and Times of a Tudor Mathematician* (Caerdydd, 2012), pennod 7.

Pennod 2

Does neb yn sicr hyd heddiw sut yn union yr aeth Carl ati, yn hogyn ifanc, i weithio'r sym 1 adio 2 adio 3 ac ymlaen hyd at 100. Un posibilrwydd fyddai iddo sylwi nad oes angen adio'r rhifau yn y drefn honno a'i fod wedi adio'r rhif cyntaf, 1, at y rhif olaf, 100, i wneud 101; wedyn adio'r ail rif, 2, at y rhif olaf ond un, 99, a chael 101 eto. Byddai'n cael 101 bob tro wrth barhau i wneud hynny: 1 a 100; 2 a 99, 3 a 98, 4 a 97, 5 a 96, ac ymlaen hyd nes cyrraedd 50 a 51. Ac felly byddai ganddo 101 hanner cant o weithiau a mater hawdd fyddai lluosi 101 â 50 i gael y cyfanswm o 5050. Mae'r eglurhad yn gymharol syml wrth ei ddisgrifio felly, ond byddai angen cryn athrylith ar hogyn 8 mlwydd oed i weld hynny.

Am hanes Syr William Jones (1746–1794), yr ieithydd a'r cyfreithiwr, gweler Michael J. Franklin, *Orientalist Jones* (Rhydychen, 2011). Mae ail bennod y llyfr hwn yn cynnwys crynodeb o hanes William Jones (y tad) a manylion llyfryddol.

Golygwyd gwaith Syr William Jones gan ei weddw, Anna Maria Jones, merch Jonathan Shipley, Esgob Llanelwy. Yn y fersiwn a gyhoeddwyd mewn 13 cyfrol yn 1807 mae'r gyfrol gyntaf yn cynnwys crynodeb o fywyd Syr William gan Arglwydd Teignmouth, gan gynnwys rhai manylion am William Jones, y tad: *The Works of Sir William Jones: With the Life of The Author by Lord Teignmouth*. Cyfeirir at y gwaith yn y bennod hon fel *Works*.

Gyda chydbwysedd a oedd yn nodweddiadol ohono, mae William Jones yn disgrifio rhinweddau ei ail wraig, Mary Nix, fel hyn:

> She was virtuous without blemish, generous without extravagance, frugal but not niggard, cheerful but not giddy, close but not sullen, ingenious but not conceited, of spirit but not passionate, of her company cautious, in her friendship trusty, to her parents dutiful, and to her husband ever faithful, loving, and obedient. (*Works*, 1, tt. 14–18)

Mae Patricia Rothman wedi dadansoddi cylch dylanwad William Jones yn Llundain yn ei herthygl 'William Jones and his circle: the man who invented the concept of pi', *History Today*, 2009, 59/7, 24–30.

Dyfynnir llythyr Richard Morris at William Jones gan John Ballinger, *The Bible in Wales: a study in the history of the Welsh people* (Llundain, 1906), t. 21.

Gallwn ddisgwyl y daw rhagor o fanylion i'r golwg am fywyd a gwaith William Jones wrth i ymchwilwyr barhau i ddadansoddi'r cyfoeth o ddogfennau sydd bellach yn llyfrgell Prifysgol Caergrawnt.

Pennod 3

Yn Saesneg, ysgrifennir y llythyren Roegaidd π fel 'pi', gair a yngenir fel 'pai'. Mae *Geiriadur Cymraeg Gomer* yn cynnwys y ddwy ffurf, 'pai' a 'pi'. Does neb yn ynganu π yn 'pi' yn Gymraeg: ar lafar gwlad clywir 'pai' neu 'pei' yn gyson. Mae synnwyr cyffredin y Prifardd Llion Jones yn cael ei fynegi'n ddeheuig yn y cwpled hwn:

Dihiryn od a daerai
dros roddi pi yn lle pai.

Mae Daniel Tammet yn adrodd ei brofiad o geisio cofio ac adrodd digidau π yn ei lyfr *Thinking in Numbers* (Llundain, 2012).

Pennod 4

Dibynnwyd ar lyfr cynhwysfawr Paul Frame, *Liberty's Apostle: Richard Price, his Life and Times* (Caerdydd, 2015), yn arbennig pennod 4, am lawer o'r cynnwys. Roedd y cyhoeddiadau hyn hefyd o gymorth: John Davies, *Hanes Cymru* (Llundain, 1990), tt. 324–5; Huw L. Williams, *Credoau'r Cymry* (Caerdydd, 2016), pennod 4.

Mae cofiant o fywyd a gwaith William Morgan yn y gyfrol gan Nicola Bruton Bennetts, gor-gor-gorwyres Morgan, yng nghyfres *Gwyddonwyr Cymru – Scientists of Wales* Gwasg Prifysgol Cymru (i'w chyhoeddi).

Cyfieithwyd y dyfyniad o deyrnged y Parchedig Andrew Kippis yn angladd Richard Price a gyhoeddwyd yn *An Address, Delivered at the Interment of the Late Rev. Dr. Richard Price, on the twenty-sixth of April, 1791* (Llundain, 1791), t. 10.

Pennod 5

Wrth gael eu cyflwyno i drigonometreg yn yr ysgol daw plant ar draws termau newydd fel *sin*, *cos* a *tan* mewn perthynas â thrionglau ongl sgwâr. Maent yn sylwi bod hyd ochrau'r triongl yn cael ei fesur mewn unedau arbennig (centimetrau, er enghraifft) a gallant ysgrifennu '3cm', dyweder, i ddangos hyd un o'r ochrau. Yn yr un modd mae onglau'r triongl yn cael eu mesur mewn graddau, a gallai un o'r onglau fod yn 30°, dyweder, sef tri deg gradd. Mae'r geiriau *sin*, *cos* a *tan* yn cael eu cyplysu gyda'r onglau, gan arwain at hafaliadau'n debyg i hwn: *sin* 30° = 0.5. Roedd y termau hyn yn newydd i Mrs Thomas, ac un o'r pethau a'i poenai oedd deall pam nad oedd unrhyw uned ynghlwm wrth y rhif 0.5, a dadleuai fod yn rhaid iddo fod yn '0.5 rhywbeth'. Os ydych yn gyfarwydd â'r maes, sut fyddech chi'n mynd ati i gynorthwyo Mrs Thomas i ddeall mai rhif ar ei ben ei hun ydy 0.5 yn y cyswllt hwn heb iddo fod ynghlwm wrth unrhyw unedau o gwbl?

Roedd yr actores Maureen Rhys yn ddisgybl yn Ysgol Brynrefail, Llanrug yn y 1960au ac mae ganddi gof clir o wersi mathemateg Mr W. V. Jones yn yr ysgol honno. Mae'n cyfaddef iddi gael ychydig o drafferth â *trigonometry*. Roedd y gwersi yn Saesneg bryd hynny ond byddai Mr Jones yn defnyddio ychydig o Gymraeg gyda'r disgyblion hefyd er mwyn eu cynorthwyo. Mewn *trigonometry* roedd angen cofio sut i gyfrifo *sin*, *cos* a *tan* ac, yn benodol, i gofio tair fformiwla:

$$\underline{c}os = \underline{a}djacent \text{ over } \underline{h}ypotenuse$$
$$\underline{s}in = \underline{o}pposite \text{ over } \underline{h}ypotenuse$$
$$\underline{t}an = \underline{o}pposite \text{ over } \underline{a}djacent$$

Roedd Mr Jones wedi llunio cofair ar ffurf brawddeg i roi help llaw i'r disgyblion:

$\underline{C}ododd$ $\underline{A}lun$ $\underline{H}ughes$ // $\underline{S}aith$ $\underline{O}$ $\underline{H}ogia$ // $\underline{T}ew$ $\underline{O}$ $\underline{A}fon$

Wrth ddilyn llythrennau cyntaf geiriau'r frawddeg, mae'n haws cofio'r tair fformiwla. Yn ôl Maureen Rhys roedd hynny yn ei helpu i 'wybod y geiriau heb adnabod y gair'. Gawsoch chi brofiad tebyg i hynny? Erbyn heddiw, wrth gwrs, mae llawer mwy o bwysau ar ddeall yn hytrach na dim ond ailadrodd – *deall pam* yn hytrach na dim ond *gwybod sut*.

Geraint Jones yw awdur cyfrol arbennig am Robert Hughes, nai Griffith Davies: *Gŵr Hynod Uwchlaw'rffynnon* (Llanrwst, 2008).

Mae llyfr Samuel Ware, *Tracts on Vaults and Bridges*, a gyhoeddwyd yn 1822, yn pwyso'n drwm ar waith Griffith Davies. Mae llawer o ddogfennau am fywyd a gwaith Davies yn Adran Archifau a Llawysgrifau Prifysgol Bangor, ac yn Llyfrgell Genedlaethol Cymru, Aberystwyth. Un o gampau eraill Davies, a gofnodir yn y dogfennau, oedd ennill medal aur y Royal Society of Arts yn 1850 am gynllunio cloc haul.

Swynwyd Lewis Carroll hefyd gan Bont y Borth. Cyfeiriodd ati mewn cân i Alice gan y Marchog Gwyn (White Knight) ym mhennod 8 anturiaethau *Through the Looking Glass*:

> I heard him then, for I had just
> Completed my design
> To keep the Menai bridge from rust
> By boiling it in wine.

I ddathlu dau gan mlynedd ers gosod carreg sylfaen Pont y Borth yn 1819 cyhoeddwyd hanes y bont mewn llyfr gan Bob Daimond: *Menai Suspension Bridge – The First 200 Years*. Mae'r llyfr ar gael o Ganolfan Thomas Telford, Porthaethwy, neu ar-lein ar *menaibridges.co.uk*.

Pennod 6

Disgrifir hanes bywyd a gwaith Bryan yn ffurfiol mewn cofiant iddo yn archifau'r Gymdeithas Frenhinol ac yn yr *Oxford Dictionary of National Biography*. Ceir cyfeiriadau llai ffurfiol mewn cyhoeddiadau am hanes y Coleg ar y Bryn, yn arbennig gan J. Gwyn Williams, *The University College of North Wales: Foundations 1884–1927* (Caerdydd, 1985), a David Roberts, *Prifysgol Bangor 1884–2009* (Caerdydd, 2009). Ceir sylwadau di-enw mewn erthygl dan y teitl 'Early Mathematics at UCNW' yn rhifyn 1987 *The Bangorian*, 27–33. Gweler hefyd T. J. M. Boyd, *George Hartley Bryan: Prophet Without Honour?* (Colchester, 2017).

Mae atgofion Thomas Richards o Bryan o bersbectif myfyriwr i'w gweld yn ei hunangofiant *Atgofion Cardi* (Cymdeithas Lyfrau Ceredigion, 1960). Roedd Richards yn fyfyriwr ym Mangor rhwng 1899 ac 1903, gan dreulio ei flwyddyn gyntaf yn y 'Day Training Department' ar gyfer darpar athrawon cyn symud ymlaen wedi hynny i raddio mewn hanes. Roedd ymysg myfyrwyr y coleg a fynychai ddarlithoedd Bryan ar gyfer bodloni gofynion Prifysgol Cymru o ran matriciwleiddio. Roedd felly'n dyst i'r digwyddiadau yn y darlithoedd hynny. Darlledodd Richards sgwrs radio ar 24 Mai 1953 dan y teitl *Doctor Bryan*, sgwrs sy'n cynnwys sylwadau llawnach na'r rhai a gyhoeddwyd ganddo mewn print. Cedwir copi microffish o'r sgwrs yn Archifdy BBC Cymru yng Nghaerdydd, ac mae'r awdur yn ddiolchgar i staff yr archifdy, ac yn arbennig Emma Lile, am gael hyd i sgript y rhaglen nad oedd wedi gweld golau dydd ynghynt. Mae'r dyfyniadau yn y bennod hon yn tarddu'n bennaf o'r sgript honno.

Ceir hanes W. E. Williams, yn arbennig ei arbrofion i gadarnhau gwaith mathemategol Bryan, mewn erthyglau gan Alwyn R. Owens yn rhifynnau Gwanwyn a Haf 2015 *Y Casglwr*. Gweler hefyd ei ddarlith yn Eisteddfod Eryri a'r Cyffiniau 2005: 'Yr Amryddawn William Ellis Williams o Lanllechid: Dyn o Flaen ei Oes', a'i erthygl yn *Trafodion Cymdeithas Hanes Sir Gaernarfon*, 'William Ellis Williams, Pioneer of Electrical Engineering at Bangor', 2008, 69, 61–80.

Pennod 7

Mae rhestr cyhoeddiadau Bertrand Russell yn faith iawn. Tynnir sylw yn arbennig at ei hunangofiant *An Autobiography of Bertrand Russell* a gyhoeddwyd mewn tair cyfrol dros y cyfnod 1951–1969 ac sydd wedi'i ailargraffu droeon ers hynny. Mae uchafbwyntiau eraill yn cynnwys *A History of Western Philosophy* (1945), llyfr a sicrhaodd incwm cyson i Russell am weddill ei fywyd.

Os ydym yn barod i dderbyn arweiniad Cantor fod nifer y rhifau cyfrif 1, 2, 3 ac ymlaen yr un peth â nifer yr eilrifau, sef aleph-dim, beth am y set o'r holl ffracsiynau $\frac{1}{2}$, $\frac{1}{3}$, $\frac{2}{3}$, $\frac{1}{4}$, ac yn y blaen? Onid oes gan y set hon hefyd nifer anfeidrol o rifau ynddi ac oni fyddech chi'n disgwyl bod mwy o ffracsiynau nag o rifau cyfrif: bod 'anfeidredd' y ffracsiynau yn fwy, mewn rhyw ystyr, nag 'anfeidredd' y rhifau cyfrif? Ond na, gan ddilyn rheolau Cantor, cawn mai aleph-dim yw nifer yr holl ffracsiynau hefyd. Ond, a dyma syndod pellach, os ydym yn ychwanegu'r holl ddegolion at y set, gan gynnwys y rhif rhyfeddol π (gweler Pennod 3) a rhifau tebyg, yna dangosodd Cantor fod nifer yr holl rifau, y ffracsiynau a'r degolion gyda'i gilydd, yn rhif anfeidrol sy'n 'fwy' nag aleph-dim. Dyfroedd dyfnion, yn wir!

Daw 'Pos Merêd' o Humphrey Palmer, *Ymresymu i'r Newyddian* (Adran Efrydiau Allanol Coleg y Brifysgol, Caerdydd, 1979). Cyfieithwyd y llyfr i'r Gymraeg gan Robin Bateman a Meredydd Evans.

Er cychwyn a gorffen ei fywyd yng Nghymru mae'n amheus a fyddai Russell wedi ystyried ei hun yn Gymro ac mae'n amheus hefyd a fyddai'r Cymry yn ei ystyried yn Gymro ychwaith. Ond roedd yn arwr i lawer â'i safiad dros heddwch a diarfogi yn nhraddodiad Henry Richards, Tregaron (yr Apostol Heddwch), ac yn y traddodiad Anghydffurfiol Cymreig.

Pennod 8

Cyhoeddwyd hunangofiant Lancelot Hogben yn 1998, wedi'i olygu gan ei deulu. Trosglwyddwyd ei holl bapurau i ofal archif Prifysgol Birmingham. Ceir crynodeb o'i fywyd a'i waith gan Robert Bud, 'Hogben, Lancelot Thomas (1895–1975)', *Oxford Dictionary of National Biography* (Rhydychen, 2004).

Manteisiwyd ar atgofion Dafydd Chilton o'i blentyndod yn Nyffryn Ceiriog. Gweler hefyd Dafydd Chilton, 'Lancelot Thomas Hogben', *Y Casglwr*, 2010, 98, 17–18.

Mewn gwerthfawrogiad o'i gyraeddiadau academaidd a'i gysylltiadau agos â Chymru, dyfarnwyd gradd DSc er anrhydedd i Hogben gan Brifysgol Cymru yn 1963.

Cyhoeddwyd *Mathematics for the Million* yn 1936 gan George Allen & Unwin. Cafwyd argraffiad newydd yn 1967 gan Pan Books a chyhoeddwyd adargraffiad diwygiedig yn 2017 gan Prelude. Cyflwynir yr adargraffiad 'To Jane', ail wraig Lancelot Hogben a'i gymar dros gyfnod o ddeunaw mlynedd yn Nyffryn Ceiriog.

Mae Hogben yn defnyddio hafaliad Stirling yn ei lyfr *An Introduction to Mathematical Genetics* (Efrog Newydd, 1946), sy'n seiliedig ar gyfres o ddarlithoedd a draddododd i fyfyrwyr ôl-raddedig ym Mhrifysgol Wisconsin yn ystod gaeaf 1940. Eglura Hogben nad oedd wedi gallu cyhoeddi'r llyfr tan 1946 oherwydd pwysau ei ddyletswyddau fel 'Deputy Director of Medical (Statistical) Research in the War Office' dros gyfnod yr Ail Ryfel Byd. Un o nodweddion hafaliad Stirling yw ei fod yn cynnwys rhai o ryfeddodau mathemateg mewn cyd-destun gwbl annisgwyl. Talfyriad yw'r symbol 4!, a ddarllenir fel 'pedwar ffactorial', i gynrychioli'r rhif $4 \times 3 \times 2 \times 1$, sef 24. Yr un modd, 6! yw $6 \times 5 \times 4 \times 3 \times 2 \times 1$, sef 720. Mae rhif fel 100! yn enfawr ac mae hafaliad Stirling yn rhoi amcangyfrif o faint y rhif. Hynny sy'n egluro'r defnydd o'r arwydd $\approx$ yn lle'r arwydd hafal $=$.

Mae'r hafaliad hefyd yn cynnwys y rhif e sy'n gysylltiedig â'r calcwlws (gwerth e yw tua 2.718) ac mae hefyd yn cynnwys y rhif π (gweler Pennod 3), rhif sy'n cael ei gysylltu'n bennaf â chylchoedd. Sut lwyddodd π i wthio'i hun i hafaliad mor estron?

Pennod 9

Ceir hanes llawnach o fywyd a gwaith E. J.Williams yn llyfr Rowland Wynne, *Evan James Williams: Ffisegydd yr Atom* (Caerdydd, 2017), yng nghyfres *Gwyddonwyr Cymru – Scientists of Wales* a gyhoeddir gan Wasg Prifysgol Cymru.

Mae rhagor o fanylion am waith E. J. Williams gyda Niels Bohr yn Gareth Ffowc Roberts a Rowland Wynne, 'Copenhagen a Chymru', *Y Traethodydd*, Ebrill 2014, CLXIX, 709, 95–113.

Un o gyfeillion Evan Williams yn ysgol sir Llandysul oedd Evan Tom (Ianto) Davies (1904–1973), Ianto Brynsaeson i'w deulu, gan mai Brynsaeson oedd enw fferm y teulu ym Mhencader. Daeth E. T. Davies hefyd o dan ddylanwad y prifathro William Lewis, a dilynodd yrfa academaidd ddisglair mewn mathemateg bur gan arbenigo mewn geometreg ddifferol. Fe'i penodwyd yn 1946 i'r gadair Fathemateg ym Mhrifysgol Southampton a dywedir mai ef oedd yr unig Athro Mathemateg ym Mhrydain yn y cyfnod hwnnw nad oedd wedi graddio o Rydychen neu Gaergrawnt. Bu'r ddau Evan – Desin a Ianto – yn gyfeillion oes. Gweler Ll. G. Chambers, *Mathemategwyr Cymru* (Caerdydd, 1994), tt. 91–2, a Rowland Wynne, *Evan James Williams: Ffisegydd yr Atom* (Caerdydd, 2017).

Cyhoeddwyd 'Rhyfeddodau', cywydd gan Gwyn M. Lloyd, yng ngholofn Twm Morys yn *Y Cymro*, 27 Tachwedd 2015. Fe'i hargreffir gyda chaniatâd caredig yr awdur.

Cyhoeddwyd ysgrif T. H. Parry-Williams o dan y teitl 'Pendraphendod' yn *Y Gwyddonydd*, 1(4), Rhagfyr 1963, 161–4, a'i chynnwys hefyd yn *Casgliad o Ysgrifau T. H. Parry-Williams* (Llandysul, 1984), tt. 356–60.

Pennod 10

Mae'r hafaliad ar ben y bennod hon, $1 + 1 = 10$, yn edrych yn bur ryfedd, os nad yn gwbl anghywir. Mae'n seiliedig ar gyfrif, nid mewn degau, ond mewn deuoedd. Mae'r 10 yn rhif deuaidd (*binary number*) ac yn gyfwerth â'r rhif 2. Mae rhifau deuaidd o bwys mawr ym myd cyfrifiaduron ac yn haws eu trin na'n rhifau degol arferol.

Sefydlwyd yr NPL yn 1900 fel canolfan ymchwil mewn gwyddoniaeth. Fe'i lleolir yn Teddington, ger Parc Richmond yng ngorllewin Llundain. Mae gorchestion enwocaf NPL yn cynnwys dyfeisio ACE, cyfnewid pacedi, radar a'r cloc atomig.

Cofnodwyd bywyd, gwaith a marwolaeth Alan Turing yn ddramatig yn y ffilm *The Imitation Game* (2014), gyda Benedict Cumberbatch yn chwarae'r brif ran.

Llyfr mwyaf dylanwadol Donald Davies, a ysgrifennodd gyda Derek Barber ac a ddaeth yn glasur yn ei faes, oedd *Communication Networks for Computers* (Llundain, 1973).

Cyfrannodd nifer o Gymry at ddatblygiad cynnar y cyfrifiadur o gyfeiriad ffiseg ac electroneg, gan gynnwys, yn arbennig, C. E. Wynn-Williams (1903–1979), a ddyfeisiodd ddull electronig o gyfrif. Gweler Rowland Wynne, *Evan James Williams: Ffisegydd yr Atom* (Caerdydd, 2017), tt. 113–15.

Un o ryfeddodau llenyddiaeth Gymraeg yw cyfrol Owain Owain, *Y Dydd Olaf* (ysgrifennwyd 1966/8; cyhoeddwyd gan Christopher Davies, Abertawe, 1976) – llyfr ffug-wyddonol sy'n rhagweld dylanwad cyfrifiaduron ar ein byd a phwysigrwydd dal ein gafael yn y meddwl rhydd, annibynnol. Rydym yn parhau i fyw drwy'r chwyldro hwn ac yn ei ddehongli o'r safbwynt Cymraeg a Chymreig gyda chymorth Wicipedia Cymraeg a dewis eang o arfau cyfrifiadurol Canolfan Bedwyr Prifysgol Bangor a chanolfannau eraill.

Roedd aelodau o deulu Donald Davies, gan gynnwys ei chwaer Marion, yn bresennol yn y seremoni i ddadorchuddio cofeb iddo yn Nhreorci yn 2013. Yn eu mysg roedd yr hanesydd John Davies (1938–2015) a gafodd ei eni yn yr un stryd yn Nhreorci â Donald Davies – Heol Dumfries. Nid oedd John Davies yn un o Ddafisiaid teulu Donald Davies ond, ymhen blynyddoedd, priododd Anna, un o ferched John, ag Ian Titherington, gor-nai i Donald Davies. Roedd John wrth ei fodd yn mynd yng nghwmni Ian i fod yn bresennol yn y seremoni, fel y tystiodd yn ei hunangofiant, *Fy Hanes I* (Talybont, 2014), tt. 143–4.

Pennod 11

Mae pennod 4 *Mae Pawb yn Cyfrif* yn cynnwys mwy o hanes am fagwraeth Mary Wynne Davies yng Nghaerfyrddin, Llanymddyfri a Threffynnon cyn iddi gyfarfod ei gŵr yn Rhydychen. Roedd Sydney Davies, tad Mary, yntau hefyd yn fathemategydd, yn brifathro Ysgol Ramadeg Treffynnon, lle bûm yn ddisgybl. Roedd hefyd yn gymeriad cymhleth iawn – ni soniodd erioed i mi am waith ei ferch a gellir ond dyfalu pam nad oedd yn barotach i ymfalchïo'n gyhoeddus yn ei lwyddiant.

Un o'r cyhoeddiadau cynnar ar *algebra fodern* oedd *Groups* (Llundain, 1964) gan Georges Papy (cyfieithiad Mary Warner). Diben Papy oedd cyflwyno syniadau newydd i fyfyrwyr coleg ac i ddisgyblion ysgol, a bu'n arwain ymgyrch yn Ffrainc a Gwlad Belg i wneud hynny. Cymysg oedd yr ymateb i'r llyfr ym Mhrydain, gyda rhai yn dadlau bod y cynnwys yn rhy haniaethol ond roedd yn arwydd o fudiad byd-eang i foderneiddio'r cwricwlwm yn seiliedig ar y datblygiadau diweddaraf mewn mathemateg.

I fod yn gwbl sicr bod $3+4 = 4+3$ a bod $3\times4 = 4\times3$ byddai angen troi at waith Bertrand Russell ac Alfred Whitehead (gweler Pennod 7) a dilyn cyfres gymhleth o ymresymiadau yn eu llyfr, *Principia Mathematica*. Fel arall, synnwyr cyffredin piau hi!

Rwyf yn ddiolchgar i Syr Gerry Warner am ei gymorth wrth lunio'r bennod hon ac am rannu rhai o'i brofiadau fel aelod o MI6.

Pennod 12

Roedd y dylanwadau ar John Rigby mewn geometreg yn niferus ac yn cynnwys gwaith y Cymro Owen Jones (1809–1874), pensaer ac awdur y gwyddoniadur celf, *The Grammar of Ornament* (1856, Llundain; adargraffiad 1986), a mab y noddwr llên Owain Myfyr. Gweler cyfrol gynhwysfawr Gareth Alban Davies, *Y Llaw Broffwydol: Owen Jones, Pensaer* (1809–74) (Talybont, 2004).

Beth yn union yw gwerth ϕ, y gymhareb aur? I ateb y cwestiwn hwn rhaid mentro i fyd symbolau a defnyddio technegau algebra sy'n gyfarwydd i ddisgyblion ysgol uwchradd. Dechreuwn â phetryal, ei hyd yn ϕ uned a'i led yn 1 uned:

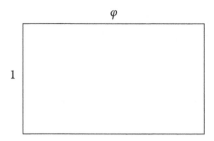

Cymhareb hyd y petryal i'w led yw ϕ. Hynny yw, mae hyd y petryal ϕ gwaith yn fwy na'i led.

Y cam nesaf yw rhannu'r petryal yn sgwâr (gyda'i ochrau yn 1 uned) ac yn betryal, fel hyn:

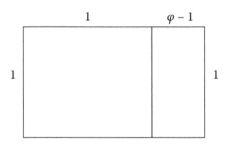

Cymhareb hyd y petryal bach i'w led yw $1/(\phi - 1)$.

Felly y gymhareb yn y petryal gwreiddiol yw ϕ a'r gymhareb yn y petryal llai yw $1/(\phi - 1)$. Y cam nesaf yw'r un pwysig wrth inni ofyn beth yw gwerth ϕ os yw'r ddwy gymhareb yn hafal.

Rhaid felly chwilio am rif ϕ sy'n bodloni'r hafaliad

$$\phi = 1/(\phi - 1)$$

sy'n arwain at $\phi(\phi - 1) = 1$ y gellir ei aildrefnu i ffurfio'r hafaliad cwadratig

$$\phi^2 - \phi - 1 = 0$$

Gallwn ddatrys yr hafaliad hwn â chymorth fformiwla gyfarwydd o ddyddiau ysgol, a'r fformiwla honno'n arwain at

$$\phi = (1 + \sqrt{5})/2$$

sef $\phi = 1.61803398874989\ldots$

 YNEGAI